The Record of Dragon's Return

재중 귀환록

FUSION FANTASTIC STORY
푸른 하늘 장편 소설

재중 귀환록 6

푸른 하늘 장편 소설

초판 1쇄 찍은 날 § 2014년 7월 30일
초판 1쇄 펴낸 날 § 2014년 8월 5일

지은이 § 푸른 하늘
펴낸이 § 서경석

편집부장 § 권태완
편집책임 § 박가연

펴낸곳 § 도서출판 청어람
등록번호 § 제387-1999-000006호
등록일자 § 1999. 5. 31
어람번호 § 제1-1906호

주소 § 경기도 부천시 원미구 부일로 483번길 40 서경B/D 3F (우) 420-822
전화 § 032-656-4452 팩스 § 032-656-4453
http://www.chungeoram.com
E-mail § chungeorambook@daum.net

ISBN 979-11-316-9104-3 04810
ISBN 979-11-5681-939-4 (세트)

The Record of Dragon's Return

재중
귀환록

6

랜필드 가문

푸른 하늘 장편 소설

FUSION FANTASTIC STORY

도서출판
청어람

CONTENTS

Chapter 01
경고

재중귀환록

"아무래도 이 배는 그냥 바닷속에 버리려고 하는데, 여기에 있을 건가요?"

재중이 어둠 속으로 걸음을 옮기려다 말고 돌아보면서 물어봤다.

아이린은 잠깐 고민했다.

이미 재중의 능력을 약간은 알게 된 그녀다.

재중이 지금 한 말이 그냥 하는 말이 아니라는 것을 느낄 수가 있었다.

"갈게요."

아직 재중에 대한 공포가 남아 있긴 하다. 하지만 그녀는 인터폴이었다.

아마 일반적인 평범한 사람이라면 재중의 잔인함과 무력을 보고 나면 절대로 가까이하지 않았을 것이다.

하지만 인터폴로서 나름 훈련을 받은 아이린이었다.

그녀는 힘들긴 했지만 재중의 곁으로 다가갔다.

"의외로 담이 큰 아가씨로군."

재중이 싱긋 웃으면서 그녀의 손을 덥석 잡자,

움찔!

아무리 훈련을 받았다고 해도 단시간에 몰려온 공포를 완전히 이겨내는 것은 불가능했는지 아이린은 재중의 말에 몸을 살짝 떨었다.

하지만 끝내 재중의 손을 뿌리치지는 않았다.

"그럼 가죠."

재중은 별다른 설명도 하지 않고 어둠 속으로 걸음을 옮겼다.

아이린은 재중의 손에 이끌려 덩달아 어둠 속으로 끌려갔다.

처음에는 그저 재중이 이끄는 대로 걸었을 뿐인 그녀다.

그녀는 곧 자신의 몸이 어둠 속으로 스며드는 신기한 경험을 했다.

그리고 다음 순간, 겨우 한 걸음 그림자 속의 어둠으로 내디뎠을 뿐이지만 자신이 이미 크루즈 안으로 돌아와 있다는 것을 알고는 멍하니 재중을 쳐다보았다.

"재미있죠?"

별거 아니라는 듯 재중이 사람 좋은 미소를 지었다.

재중이 잡고 있던 그녀의 손을 놓자 아이린은 그제야 재중의 곁에서 몇 발걸음 물러날 수가 있었다.

"당신 정말 사람인가요?"

재중의 능력이 무력뿐이라면 아마 아이린은 그가 단순히 현경에 이른 무인이라고 생각했을 것이다.

하지만 지금 어둠을 통해 공간을 뛰어넘은 것은 분명 무공이 아니다. 믿을 수 없을 만큼 신기한 경험이었기에 오히려 의식하지 않고 되물었다.

하지만 오히려 그런 아이린의 질문에 재중은 싱긋 웃으면서,

"그게 중요한가요?"

"……."

자신의 질문에 엉뚱한 대답을 한 재중의 모습에 아이린은 할 말을 잃었다.

물어보고 나서야 뒤늦게 재중이 자신이 물어본 것에 대해서 대답해야 할 이유가 없다는 것을 느꼈으니 말이다.

"아니요. 그건 그렇게 중요한 게 아니네요."

아이린은 자신이 이루어야 할 목표를 떠올렸다.

그리고 재중이 적이 아니라는 것만으로도 감사했다.

상식적으로 재중을 상대로 삼합회조차 과연 상대가 될까 하는 의문이 들 정도였다.

아니, 오히려 아이린은 재중이 이미 삼합회와 적이 되었다는 것에 고마움을 느끼고 있었다.

이기적일지도 모르지만 자신의 목적과 재중의 목적은 결국 같을 수밖에 없으니 말이다.

삼합회가 이대로 재중을 그냥 놔둔다는 것은 절대로 있을 수 없는 일이다.

폭력 조직일수록 복수를 확실하게 한다.

어설프게 했다가는 모양새가 나빠진다고 하지만 그것보다 더 중요한 것은 대충 처리하면 삼합회라는 이름의 격이 떨어진다는 것이다.

그리고 그 격이 떨어진다는 것은 결국 삼합회의 힘이 약화되는 것이나 마찬가지였다.

폭력 조직의 특성상 조직의 이름만으로도 상대를 제압할 수 있는 위력을 가져야 한다.

그리고 실제로도 그런 경우가 대부분이기도 한 것이 바로 현실이었다.

만약 이대로 재중을 그냥 둔다면 삼합회를 노리는 다른 조직들에게 우습게 여겨질 만한 좋은 핑곗거리가 될 수도 있다.

또한 조직원들에게 충성이 아닌 의심을 심어주는 것이나 마찬가지였으니 말이다.

그렇기 때문에 아무리 작은 폭력 조직이라도 자신들이 손해를 본다면 끝까지 물고 늘어져서 처리하는 것이다.

동정심을 가진 마음이 약한 조직은 더 이상 폭력 조직이 아니었다.

그저 다른 독한 녀석들이 잡아먹기 좋은 먹잇감에 불과할 뿐이었다.

"재중 씨, 이제부터……."

"잠깐."

"……?"

아이린이 지금이 기회라고 생각한 듯 재중에게 도움을 청할 생각으로 입을 열려는 순간, 재중이 느닷없이 말문을 막았다.

"전 당신의 싸움에 끼어들 생각이 없습니다."

"네? 그게… 무슨……. 이제 재중 씨도 삼합회와 적이잖아요. 그런데 왜……?"

아이린이 목적한 것도 결국 삼합회를 무너뜨리지는 못해도 엄청난 타격을 줄 수 있는 일이었다.

그렇기에 재중의 말에 오히려 당황하면서 물어봤지만 재중이 단칼에 거절해 버리자 당황했다.

동시에 어쩌면 재중이 지금 삼합회가 얼마나 끈질긴지 몰라서 이러는 거라고 생각이 들었다.

하지만 아이린보다 재중이 먼저 말했다.

"당신의 싸움은 시작부터 혼자 하는 게 아니었나요?"

"그야… 그렇죠."

인터폴에서조차 아이린이 우기고 우겨서 이번 작전을 실행했다. 물론 재중은 모를 것이라고 생각했지만 그 말을 듣는 순간,

뜨끔!

하는 마음이 든 것은 숨기지 못하는 아이린이었다.

물론 재중의 말이 맞긴 했다.

인터폴에서 삼합회에 침투하는 것부터가 이미 엄청난 노력이 필요한 일이다.

하지만 들키는 순간 죽는 것은 피할 수 없는 현실이기에 허락을 하기도 어려운 형편이었으니 말이다.

하지만 아이린은 모든 반대를 무릅쓰고 자신의 고집만으로 몇 년에 걸쳐서 그걸 끈기 하나로 이뤄냈다.

그러나 이제 겨우 초반일 뿐이었다.

아직도 외부 인물로 삼합회에서 믿음을 얻지 못했으니 말

이다.

이렇게 정체된 시간이 길게 흐르다 보니 아무리 아이린이라도 어느 순간부터 지쳐 가는 것은 어쩔 수가 없었다.

아무리 노력을 해도 좀처럼 수뇌부를 만날 일이 없거니와, 재중을 만나는 순간까지도 감시를 받고 있다는 것이 증거였다.

그건 즉, 여전히 삼합회에서 그녀는 써먹기는 좋지만 믿을 수는 없는 그런 위치나 마찬가지라고 말하는 것과 다를 바 없었다.

그런 현실이 아이린을 힘들게만 했던 것이다.

"제가 나타났다고 바로 손을 내밀 만큼 힘들다면 차라리 지금이 그만두고 인터폴로 돌아갈 수 있는 마지막 기회 아닌가요?"

"그건 아니에요!!"

정확하게 핵심을 찌르는 재중의 말에 순간 발끈한 아이린이 큰소리를 쳤다.

하지만 아이린은 재중의 눈을 쳐다보지 못하고 고개를 돌리고야 말았다.

그녀는 왠지 알 수 없는 억울한 마음에 눈물이 핑 도는 것을 억지로 삼켜야만 했다.

"처음 보는 사람에게 손을 내밀 정도면 실패할 가능성이 높다는 얘긴데, 제 말이 틀렸나요?"

"……."

정말 냉정한 말이지만 아이린은 더 무어라 대꾸할 말이 없었다.

재중은 정확하게 맞는 말만 하고 있었다.

전적으로 아이린 자신의 욕심과 이기심으로 재중을 끌어들이려고 했으니 말이다.

더 이상 재중과 말해봐야 자신의 약한 마음만 드러날 것 같다고 느낀 듯 아이린이 발걸음을 돌렸다.

"조심하세요. 삼합회는 저승사자보다 잔인하고 끈질긴 녀석들이니까요."

구해준 보답인 듯, 돌아선 아이린은 경고의 말만 남기고 사라져 버렸다.

하지만 재중은 오히려 아이린의 경고를 듣고 입가에 미소를 지었다.

"나를 만족시킬 수 있으려나? 후후후훗."

대륙에서 100년 동안 혼자 드래고니안과 전쟁을 치른 재중이다.

그런 그에게 삼합회와의 싸움은 오히려 지루한 일상에 던져진 작은 유흥거리에 불과하다는 것을 아이린은 결코 모를 것이다.

잔인?

끈질김?

오히려 재중은 기대하고 있었다.

제발 삼합회가 자신이 만족할 만한 끈질김과 잔인함을 가
지고 있기를 말이다.

Chapter 02
오룡(五龍)

"오빠!"

재중은 그래도 일행이 안전한 것인지 직접 눈으로 확인하고, 그 다음 삼합회에서 왔다는 구룡(九龍) 중 오룡(五龍)을 찾아가려고 마음먹었다.

그래서 우선 발길을 옮긴 곳은 바다가 훤히 내려다보이는 크루즈에서도 가장 전망이 좋다고 알려진 카페 테라스였다.

본래 이 테라스는 소위 말하는 VVIP고객 전용이나 마찬가지인 곳이다.

일반 승객은 테라스로 나가려면 직원이 오히려 제지하는

편이었다.

하지만 크루즈의 주인인 시우바 회장의 손녀인 캐롤라인이 있는 이상 그녀들에게는 그저 전망이 가장 예쁜 테라스에 불과했다.

물론 이미 시우바 회장으로부터 재중 일행에 대한 모든 편의를 제공하라는 명령이 내려와 있는 상태였다.

그래서 캐롤라인이 없어도 문제는 없었을 것이다.

하지만 크루즈에 있는 직원이 모두 캐롤라인의 얼굴을 알고 있기에 조금 더 편하긴 했다.

거기다 워낙에 미모가 눈에 띄는 캐롤라인과 천서영이다 보니 카페에 들어서자마자 테라스에 있는 것을 확인할 수 있었다.

바로 다가선 재중을 본 연아는 불만이 있는 듯 퉁명스럽게 입을 열었다.

"이제 좀 둘러볼 마음이 생긴 거야?"

그저 눈으로 안전을 확인하러 왔을 뿐인 재중이었다.

하지만 연아가 보기에는 혼자 있다가 심심해서 자신을 찾아온 것으로 생각한 것이다.

"잠시 만날 사람이 있어서 온 거야."

"만날 사람?"

"……?"

"……?"

연아는 그냥 순수하게 그런가 하는 표정이라면 천서영과 캐롤라인은 궁금해하면서도 뭔가를 의심하는 표정이다.

당연히 재중이 그걸 느끼지 못했을 리 없지만 가볍게 무시해 버렸다.

"일 때문에 잠깐 만날 거야. 그럼 쉬고 있어."

재중은 자기 할 말만 하고 바로 일어섰다.

그리고는 찬바람이 불 만큼 냉정하게 몸을 돌려 테라스를 벗어나더니 카페 밖으로 나가 버렸다.

그런데 모습을 가만히 바라보던 연아가 천서영과 캐롤라인을 한 번씩 쳐다보더니 마치 다 알고 있다는 듯한 표정으로 물었다.

"혹시 지금 오빠가 여자 만나러 가는 건 아닐까 하고 생각하죠?"

뜨끔!

정확한 연아의 말에 천서영은 순간 당황해서 너무 티 나게 고개를 돌려 버렸다.

반면 캐롤라인은 평소보다 큰 목소리로 갑자기 변명을 하기 시작하는 것이다.

"무, 무슨 소리예요? 그냥 크루즈에 아는 사람이 없을 것 같은데 만날 사람이 있다니 놀랐을 뿐이에요 그럼요. 맞아요."

마치 연아에게 지금 자신의 말이 맞다는 것을 강조하듯 몇 번이나 되풀이한다.

횡설수설에 가까운 말을 그저 듣기만 하던 연아가 입가에 미소를 지었다.

자신이 정확하게 핵심을 짚었다는 것을 캐롤라인이 몸소 보여주고 있었으니 말이다.

"걱정 마요."

"……!"

"……!"

아니라고 했지만 귀를 쫑긋 세우고 집중하는 두 여인이다.

연아는 입가에 미소를 지으면서 설명했다.

"저렇게 편하게 입고 여자 만나러 가는 남자는 절대로 없으니까요. 그리고 오빠는 여자가 있으면 있다고 말하지 숨기는 성격도 아니에요."

"하긴……."

"뭐… 그런 성격이긴 하죠."

캐롤라인과 천서영은 방금 전에 나간 재중의 옷차림이 아니라 그의 성격에 대해서 심하게 공감하는 표정을 지었다.

누구를 만나는지는 알 수 없지만 이것 하나만은 분명했다.

여자가 아니라는 것 말이다.

지금까지 그녀들이 본 재중의 성격상 여자가 있다면 차라리 있다고 말했을 것이다.

다만 도대체 누굴 만나러 가는 것인지는 캐롤라인도, 천서영도 알 길이 없었다.

어쨌든 여자가 아니라는 생각이 들자 이상하게 가슴이 편해지는 그녀들이었다.

한편 세 여자가 이렇게 자신이 어디로 가는지에 대해 궁금해하고 있다는 것을 아는지 모르는지, 재중은 천천히 걸음을 옮기고 있었다.

그런데 느린 걸음의 재중이 도착한 곳은 재중이 묵고 있는 방보다 한 단계 낮은 클래스의 방이었다.

물론 한 단계 낮다고는 해도 일반 사람이라면 엄두도 내지 못할 큰 금액을 지불해야 묵을 수 있는 방이지만 말이다.

"이곳인가?"

흑기병의 안내에 따라 방문 앞에 도착한 재중이 손잡이를 잡고 돌리려고 하는 순간이었다.

―마스터, 그렇게 부숴 버리면 나중에 시끄러워져요.

재중의 그림자 속에서 테라의 상체만 빠르게 튀어나왔다.

―언락(Unlock).

딸각!

그리고 마법으로 가볍게 문을 열고는,

―호호호홋! 그럼 전 이만!

임무를 마쳤다는 만족한 듯한 표정으로 다시 슬그머니 그림자 속으로 들어가 버렸다.

재중은 테라의 그런 모습에 잠깐 입가에 미소를 지을 뿐 별다른 말은 하지 않았다.

이런 사소한 센스가 흑기병과 테라가 다른 한 가지 이유이기도 했으니 말이다.

테라의 마법으로 열린 문을 열고 들어가자 정면으로 커다란 소파가 보였다.

그곳에서 마치 재중이 오기를 기다렸다는 듯 앉아 있는 허연 수염과 백발을 가진 노인을 볼 수가 있었다.

"네가 오룡(五龍)인가?"

마음대로 방문을 열고 들어온 재중이 너무나도 당당하게 늙은이에게 물어보자, 갑자기 깊은 울림이 가득한 웃음을 터뜨리는 오룡이었다.

"허허허허허, 대단한 젊은이군그래. 남의 방에 무단으로 들어오고서도 이처럼 당당하다니 말이야. 그리고 내가 누군지도 알고 있고."

순식간이었다.

오룡의 눈빛이 바뀌는 순간 방 안 가득 살기가 넘쳐나기 시작했다.

"살기를 조절할 줄 아는 인간이라……."

그 누구보다 살기에 민감한 재중은 즉각 반응했지만 그것이 전부였다.

오룡은 재중을 위협하거나 제압하려는 목적으로 살기를 뿜었을지도 모른다.

하지만 정작 그 살기를 맞이한 재중은 살기보다 오룡을 주시할 수밖에 없었다.

대륙이라면 기사가 흔했기에 몰랐을 것이다.

하지만 여기는 지구였다.

살기를 마음대로 조절해서 상대를 제압하려는 모습을 보이는 것을 경험한 곳이 말이다.

지구는 과학이 발전한 상태라 인간 본연의 힘을 단련하는 사람이 극도로 적을 수밖에 없었다.

물론 그 이유 중 하나로 총이라는 무기가 한몫하긴 했지만 말이다.

하지만 군이 총 때문이 아니라도 지구는 민주주의가 정착한 상황이다.

그래서 지금까지 재중은 지구에서는 대륙과 달리 살기를 다루는 사람을 볼 일이 없을 거라고 생각하고 있었다.

대륙과 달리 군이 마나를 수련하지 않더라도 얼마든지 자신의 재능을 뽐낼 수 있는 길이 많았으니 말이다.

"…네놈은 누구냐?"

반면 잡생각을 하고 있는 재중과 달리 오룡은 자신이 살기를 집중시켰는데도 재중이 미동조차 없자 많이 놀라고 있었다.

지금까지 자신의 살기에 반응하지 않는 사람은 없었다.

아니, 사람뿐만이 아니라 맹수의 제왕이라는 호랑이도 자신이 살기를 집중하면 꼬리를 말고 도망쳤다.

그런데 새파랗게 젊은 놈이 살기를 그대로 받고도 눈썹 하나 까딱하지 않는 것이다.

겉으로 표현하진 않았지만 재중과 달리 오룡은 자신의 살기를 견디는 녀석이 저렇게 새파랗게 젊은 놈이라는 것에 충격을 받은 상태였다.

"나? 네놈들이 찾는 선우재중."

"선우재중? 설마 그 정태만의 조카라는 녀석이 네놈이냐?"

오룡은 이룡이 처리하기로 한 재중이 자신을 찾아온 것에 대해 잠시 생각에 잠겼다.

이룡이 움직였다면 당연히 재중이 이곳에 찾아와서는 안 되었으니 말이다.

하지만 재중이 서 있는 것만으로도 한 가지는 확실했다.

"린린을 만나지 않았나 보군."

삼합회를 이끄는 구룡은 아홉 명이 각자 따로 자신이 맡은 구역이 따로 있다.

그들은 평소엔 독자적으로 힘을 움직이면서 필요할 시에만 삼합회라는 이름을 쓰고 있는, 조금은 특이한 상태였다.

그렇기에 오룡도 이룡이 선우재중을 처리하려고 북경에서 린린이라는 여자를 불렀다는 것까지만 알고 있을 뿐이었다.

그 외는 자신의 관심 밖이기에 재중의 방문이 뜻밖일 수밖에 없는 것이다.

"린린? 아, 그 여자 말이군."

재중은 린린이 아이린을 말하는 것임을 한 박자 늦게 알아챈 듯 말했다.

"네놈, 린린을 만나고도 어떻게 내 앞에 올 수가 있는 거지?"

이룡이 재중을 죽이기 위해 보낸 사람이 바로 아이린이었다.

그런데 그런 아이린을 만나고도 멀쩡히 자신을 찾아온 것이다.

오룡은 자신의 앞에 나타난 재중이 도무지 이해가 가지 않는 듯한 표정을 지었다.

그런 오룡의 모습에 재중은 대답 대신 살짝 입가에 미소를 보여주면서 말했다.

"바로 이거면 대답이 되려나?"

불현듯 천천히 손을 앞으로 내민 재중이 허공을 움켜잡듯

손아귀에 힘을 주자,

찌걱!

허공에서 오룡과 재중 단둘에게만 들리는 파열음이 방 안을 가득 채워 버렸다.

그리고 파열음이 들리는 순간, 오룡은 눈을 부릅뜨고 놀란 표정으로 재중을 쳐다보면서 자리에서 벌떡 일어섰다.

"네, 네놈, 어떻게 살기를 깨뜨릴 수 있는 거지?"

살기는 유형이 아닌 무형으로 생각을 그대로 전달하는 의지의 힘이다.

자신의 의지를 상대에게 보내 영향을 주는 것이 바로 살기인 것이다.

상식적으로 살기를 뿜어낸 오룡이 거두지 않는 이상 살기를 당하는 상대가 할 수 있는 일은 몇 가지 없었다.

그저 살기를 견디거나, 고수라면 자신의 의지를 뿜어내 살기를 옆으로 흘리는 것이 전부이다.

그런데 재중은 그런 상식을 완전히 뒤집어 버렸다.

살기를 힘으로 깨뜨려 버린 것이다.

그 말은 오룡의 의지를 재중이 강제로 부숴 버렸다는 것과 마찬가지이다.

이에 놀란 표정을 지어 보이는 오룡에게 재중은 살며시 미소를 지으면서 답했다.

"살기란 말이야, 이런 것이야."

쾅!!

재중의 말이 끝나자마자 오룡은 보이지 않는 커다란 해일이 몸을 덮치는 듯한 느낌을 받았다.

번쩍!!

그런데 재중의 살기가 오룡의 몸을 덮쳐서 내리누르려는 순간 오룡의 몸에서 빛이 번쩍하더니 재중의 살기가 흩어져 버리는 것이 아닌가?

"……?"

이번에는 오룡과 달리 재중이 놀란 표정을 지었다.

지구에서 자신의 살기를 흩어버릴 수 있는 녀석이 있다는 사실에 재중은 놀람을 감추지 못했다.

물론 재중이 했던 것과 달리 오룡은 겨우 버틴 것뿐일지라도 말이다.

쓰나미처럼 덮쳐간 살기가 흩어지고 난 뒤, 재중의 눈에 보인 것은 입에서 피를 흘리면서 겨우 버티고 서 있는 오룡이었다.

"쿨럭! 살기만으로… 이 정도 위력이라니……."

평생을 삼합회를 지탱하는 아홉 용(龍) 중 한 자리를 차지해 온 오룡이었다.

그런데 자신의 살기가 부서진 것도 모자라 재중의 살기에 내상까지 입은 것이 도무지 믿어지지 않는 듯했다.

그래서인지 마치 이것이 꿈이었으면 하는 표정으로 뚫어지게 재중을 쳐다봤다.

"크윽……."

하지만 오연하게 서 있는 재중을 보고 있노라면 믿기 싫어도 믿을 수밖에 없었다.

전설로만 전해지던 의념살인까지 가능한 살기를 직접 겪어봤으니 말이다.

더욱이 오룡은 무림인이다.

그것도 평범한 무림인이 아니라 평생을 수련해 주먹질 한 번에 사람을 즉사시킬 수 있을 만큼 위력적인 내공을 가지고 있는 무림고수이다.

그런데 그런 그의 평생 내공조차 재중의 살기 앞에서는 단한 번, 겨우 죽지 않을 정도로 버티는 게 고작이었으니 말이다.

무림고수가 살기를 막다가 내상을 입었다는 말은 어디 가서 하지도 못한다.

아마 다들 코웃음 치면서 아무도 믿지 않을 것이다.

살기로 사람을 죽인다?

그건 전설로나 전해지는 이야기로 겨우 무림에 첫발을 디딘 애송이도 알고 있을 만큼 전설을 넘어 황당한 상상 속의 이야기였다.

물론 오룡 자신도 직접 겪기 전까지는 그렇게 알고 있었다.

한편, 충격에 빠져 있는 오룡과 달리 재중은 다른 생각을 하고 있었다.

방금 전 재중은 오룡이 사용한 내공에서 마나의 향기를 맡을 수가 있었다.

'알래스카에 이어 두 번째인가?'

물론 알래스카에서 본 녀석과 오룡을 수준을 비교하자면 알래스카 녀석이 땅이라면 오룡은 하늘일지도 몰랐다.

물론 그 두 녀석을 비교했을 때 이야기다.

하지만 재중에게는 마나의 향기를 느꼈다는 그 자체가 중요하다.

단전에 내공이 얼마나 있는지는 그의 관심 사항이 아니었다.

인간의 몸을 가지고 있는 한 그를 막을 수 있는 자는 존재하지 않을 테니 말이다.

대륙에서 그랜드 마스터이며 초인으로 불리던 녀석들도 드래고니안의 손에 처참하게 죽었다.

그리고 그런 드래고니안을 모두 죽여 버린 것이 바로 재중이다.

당연히 아무리 인간이 강해진다고 해도 결국 한계가 존재한다.

바로 그 인간의 한계를 뛰어넘기 위해 탄생한 것이 재중이란 존재다.

몸속에 드래곤의 피를 강제로 집어넣어 육체를 개조했다.

단전의 크기가 어떠니 내공의 양이 이 갑자가 넘는다느니 하는 것은 완전히 논외의 문제일 수밖에 없었다.

아무리 강해봐야 결국 인간이고, 재중은 괴물이다.

결과는 뻔한 것이 아닌가?

저벅저벅.

드래곤 아이 한 방에 내상을 입고 서 있는 오룡의 곁으로 재중이 천천히 걸어가기 시작했다.

그런데 재중이 오룡의 곁으로 거의 다가선 순간,

툭!

갑자기 오룡의 몸이 줄 끊어진 꼭두각시 인형처럼 바닥에 널브러졌다.

"…죽었군."

순간 가장 먼저 재중의 뇌리에 스친 것은 누군가 오룡을 죽였다는 것이었다.

하지만 그 방법이 저격은 아니었다.

이 방뿐만이 아니라 크루스의 모든 창문은 모두 강한 태풍에도 견딜 수 있도록 방탄유리로 되어 있으니 말이다.

그리고 아무리 감각을 봉인했다고 해도 저격용 총알이 날아왔다면 검예가에서처럼 나노 오리하르콘이 먼저 반응했을 것이다.

재중은 저격은 아예 제외시켰다.

"테라."

재중이 나직하게 테라를 불렀다.

—네, 마스터.

재중의 그림자에서 튀어나온 테라는 잠시 주변을 살펴보았다.

테라는 곧 죽어버린 오룡의 시체를 발견하더니 한 번 쳐다보고는 재중에게 물었다.

—마스터께서 죽인 거예요?

재중이 일부러 찾아간 녀석이 살아 있을 가능성은 거의 희박하다 보니 테라는 재중이 오룡을 죽인 다음 뒤처리를 위해서 자신을 부른 걸로 여겼다.

자연스럽게 오룡의 시체에 다가가던 테라는 재중의 말에 걸음을 멈추었다.

"왜 죽었는지 알아봐."

—네? 마스터께서 죽인 게 아니에요?

"손도 대기 전에 죽어버리는군."

—정말요?

테라는 재중의 말에 바닥에 널브러진 오룡의 곁으로 다가가 보더니 고개를 왼쪽으로 한 번, 오른쪽으로 한 번 갸웃거렸다.

재중이 아니고서는 이렇게 외상 하나 없이 인간을 죽이는 방법을 아는 존재가 지구상에 존재할 리가 없으니 말이다.

몇 번을 살펴봤지만 도무지 알 길이 없는지 테라는 결국 마법진까지 그려서 오룡의 몸 전체를 살펴보고는 놀란 듯 중얼거렸다.

―어머, 어떻게 이게 가능하지?

테라는 몸 전체를 스캔하고 나서야 오룡의 뇌가 녹아내렸다는 것을 알아차렸다.

"……?"

―마스터, 이 녀석 뇌가 녹아버렸는데요.

"뇌가 녹아?"

Chapter 03
고독

뜬금없는 테라의 말에 재중이 고개를 갸웃거렸다.

테라가 즉각 자신이 마법으로 스캔한 영상을 허공에 띄워서 재중 앞에 보여주었다.

그러자 재중의 눈에 뇌가 있어야 할 곳에 곤죽이 되어 물처럼 되어버린 모습이 보인다.

"테라."

―네, 마스터.

"이게 가능해?"

재중도 대륙에서 마법이라는 힘으로 별의별 기상천외한

것들을 보았다.

하지만 멀쩡하게 살아 있던 녀석이 자신이 보는 앞에서 몇 초 만에 뇌가 녹아내려 죽어버리는 것은 처음 있는 일이었다.

재중이 의아함에 물어보자, 테라도 처음 봐서 확신이 없다는 듯 대답했다.

―뭐… 어슬레이션(Oscillation:진동) 마법을 직접 머리에 대고 강하게 사용하면 가능하긴 하지만… 그것도 이곳에 마스터가 계시는 한은 불가능해요.

"그렇겠지?"

몸속에 절대 마법 방어를 가진 나노 오리하르콘을 가진 재중이다.

나노 오리하르콘의 특성상 마법 방어가 절대 무적인만큼 마법은 아주 사소한 것이라도 민감하게 감지할 수밖에 없다.

재중이 원하지 않아도 나노 오리하르콘이 먼저 반응해 버리니 말이다.

더구나 드래곤의 마도서인 테라가 원인을 모른다는 것이 더욱 재중의 머리를 복잡하게 했다.

신이 만든 최고의 존재라는 드래곤을 지칭하는 표현 중에는 지식의 탐구자라는 말이 있다.

그만큼 드래곤이 수천, 수만 년에 걸쳐 살면서 온갖 세상의 지식에 정통해 있다는 뜻이다.

테라는 바로 그 드래곤의 모든 지식이 담긴 마도서 자체였다.

그런데 그 테라가 모르는 일이었다.

드래곤의 마도서가 모른다는 것 하나만으로도 재중으로서는 무언가 꺼림칙할 수밖에 없었다.

그런데 문득, 이런저런 생각을 하면서 테라가 만든 오룡의 전체 스캔 영상을 보던 재중의 눈에 뭔가 이상한 것이 보이는 게 아닌가?

"저건 뭐지?"

재중은 녹아버린 오룡의 뇌에서 뭔가 이상한 것이 꿈틀거리는 것을 발견한 것이다.

즉시 재중이 보고 있는 것을 손가락으로 가리키자,

—잠시만요, 마스터.

테라의 양손이 활짝 펴지면서 오룡의 머리 부분이 열 배나 크게 확대되었다.

두 사람은 바로 재중의 눈에 띈 꿈틀거리던 것을 확인했다.

그것은 뜻밖에도 작은 알약 크기만 한 벌레였다.

—벌레네요, 마스터.

테라도 확대된 것을 보고서야 녹아버린 뇌 속에 벌레가 있다는 것을 알아차린 듯했다.

"꺼내봐."

테라는 재중의 명령이 떨어지자마자 오룡의 시체를 허공에 띄우고는 정확하게 벌레가 있는 곳만 구멍을 뚫어서 꺼내고 다시 막아버렸다.

—이거예요, 마스터.

재중은 테라의 마법으로 실드에 싸인 채 허공에 떠 있는 벌레를 마주했다.

그는 고개를 갸웃거릴 수밖에 없었다.

대륙에서 100년 가까이 살았지만 본 적이 없는 벌레였으니 말이다.

그건 테라도 마찬가지였다.

—마스터, 이게 뭘까요?

테라가 재중에게 물어봤지만 재중은 대답 없이 벌레에만 집중했다.

테라도 조용히 입을 다물었다.

지금처럼 재중이 무언가에 집중하고 있을 때는 옆에서 메테오가 떨어져도 꿈쩍도 하지 않는다는 것을 잘 알고 있으니 말이다.

그리고 10분가량 시간이 지났을 무렵, 재중이 조금 확신이 없는 투로 입을 열었다.

"고독일지도……."

—고독… 이요?

당연히 테라는 재중이 말한 고독이 무엇인지 모르는 눈치였다.

고독이란 간단하게 독을 가진 벌레를 뜻하는 말이다.

재중은 이전 공사장을 떠돌면서 우연히 읽은 무협지에서 본 적이 있다.

하지만 설마 그게 실제로 존재할 줄은 재중도 생각지 못했다.

마법이 아닌 상황과 뇌가 녹아버린 곳에 남겨진 벌레 한 마리.

아무리 생각해도 자신이 예전 읽은 무협지에 나오는 고독이라는 벌레와 너무나 흡사하다는 생각이 들었다.

고독을 만드는 방법은 간략히 말하면 이러하다.

우선 독을 가진 벌레라면 구할 수 있는 대로 모두 구해서 항아리에 넣어 땅속에 파묻는다.

그럼 나갈 곳을 잃은 벌레들은 결국 자기들끼리 잡아먹게 되고, 그렇게 시간이 흐르다 보면 가장 마지막에 한 마리가 남게 된다.

그렇게 마지막으로 남은 벌레가 바로 고독이 되는 것이다.

일반적으로 무협지에서는 사람의 몸속에 고독을 집어넣고 대상이 배신을 하거나 상대에게 위협을 느낀 순간 잠들어 있는 고독을 깨워 살상하는 식으로 이용하는 경우가 대부분이었다.

하지만 그런 것이 실제로 존재한다고 생각할 사람이 과연 몇이나 되겠는가?

그러다 보니 재중도 처음에는 오룡의 머릿속에서 나온 벌레를 보고도 바로 고독을 떠올리지 못하고 한참을 생각할 수밖에 없었던 것일지도 몰랐다.

하지만 자신이 모른다고 존재하지 않는다고 단정 지을 수는 없다.

증거로 재중 자신이 소설에나 나오는 그런 존재이니 말이다.

그렇게 생각의 방향을 바꾸자 바로 재중의 머릿속에 떠오른 것이 바로 고독이라는 벌레였다.

―그게… 가능하긴 한가요?

드래곤의 마도서인 테라도 재중의 말에 긴가민가한 표정을 지었다.

재중도 굳이 설득하기보다는 오룡의 머릿속에서 나온 벌레를 테라에게 주었다.

"확인해 봐. 정말로 벌레로 사람의 뇌를 한순간에 녹여서 죽이는 방법이 가능한지 말이야."

―네. 한번 알아볼게요.

테라는 사실 재중이 말한 고독이라는 벌레의 존재가 쉽사

리 믿기지 않았다.

물론 테라는 재중을 믿긴 한다.

하지만 호기심이 강한 반면 직접 본 것 외에는 쉽게 믿지 않는 것이 바로 마법사의 단점이기도 했다.

그리고 그런 것을 누구보다 잘 아는 재중이기에 테라에게 벌레를 준 것이다.

어차피 고독이라는 것도 자신의 추측일 뿐이다.

정확히 실체를 확인하려면 마법사인 테라만큼 적합한 사람도 없었다.

—저건 버릴까요?

더 이상 볼일이 없어져 버린 오룡의 시체를 보며 테라가 물어봤다.

재중은 가볍게 고개를 끄덕이고는 오룡의 방을 나갔다.

물론 테라도 오룡의 시체를 가지고 어둠 속으로 사라져 버렸다.

그런데 그렇게 모두가 떠나고 30분 정도 지났을까?

조금 전까지 오룡의 시체가 놓여 있던 곳에 시커먼 무언가가 솟아오르더니 흐느적거리다가 천천히 사람의 모습으로 변했다.

그런데 그 모습이 예전 검예가에서 김인철을 뒤에서 조정하던 검은 복면의 녀석과 너무나 닮아 있었다.

―뇌고(腦蠱)의 신호가 느껴져서 와봤더니 이미 상황이 끝난 건가?

혼잣말을 중얼거리며 주변을 살피기 시작한 녀석이 무언가를 찾는 듯 방을 뒤지기 시작했다.

하지만 찾는 것이 보이지 않았는지 녀석이 행동을 멈추더니 처음 모습을 드러낸 곳에 섰다.

―시체는 어디 있는 거지?

뇌고의 신호가 느껴졌다는 것은 오룡의 머릿속에 심어둔 뇌고가 깨어났다는 말이나 다름없다.

그런데 시체가 없다니?

이건 좀 이상했다.

뇌고가 깨어난 이상 오룡이 죽었다는 것은 의심할 여지도 없다.

뇌에 심어둔 뇌고가 깨어나는 순간 뿜어내는 독에 의해 뇌가 순식간에 녹아버릴 테니 오룡은 그 자리에서 죽을 수밖에 없다.

한데 정작 와보니 오룡의 시체가 없는 것이다.

살짝 당황한 검은 복면은 다시 한 번 주변을 샅샅이 찾아봤다.

하지만 역시나 머리카락 하나 떨어진 것 없이 방은 너무나 깨끗했다.

너무나 깨끗한 나머지 자신이 방을 잘못 찾아온 것은 아닌지 의심스러워서 다른 옆방까지 슬쩍 가보았다.

─이상하군……. 더 이상 깨어난 뇌고의 신호가 느껴지지도 않고. 설마 바다 한가운데에서 불에 타 죽을 리도 없는데…….

뇌고는 깨어나는 순간부터 일정한 간격을 두고 끊임없이 자신만의 독특한 신호를 보낸다.

검은 복면은 그것을 느끼고 이곳으로 찾아온 것이다.

그런데 막상 와보니 시체가 없었다.

더구나 도착해서 보니 깨어난 뇌고가 보내던 신호도 사라져 있었다.

이렇다 보니 그로서는 당황할 수밖에 없었다.

─무슨 일이 있었던 거지? 오룡의 무력이면 델타포스가 쳐들어와도 충분히 막아낼 수 있는데…….

검은 복면은 곰곰이 생각에 잠겼다.

사라진 오룡의 시체, 거기다 끊긴 뇌고의 신호, 마지막으로 테러 진압을 전문으로 하는 부대를 상대로도 절대로 죽지 않을 만큼 강한 내공을 지닌 무림고수인 오룡이 당했다는 사실까지.

상황을 더할수록 절로 생각이 깊어질 수밖에 없었다.

─별수 없지. 우선 보고부터 할 수밖에.

자신의 능력으로도 오룡의 시체를 찾을 수가 없다면 최소한 이 크루즈 안에는 없다는 뜻이다.

복면인은 별수 없이 찾기를 포기하고 녹아내리듯 사라져 버렸다.

Chapter 04
귀찮은 껌딱지

"이런 곳에서 뭐 해요?"

"……."

재중은 크루즈에서도 사람이 거의 오지 않는 뒤편에 혼자 있었다.

그런데 문득 익숙한 목소리가 들렸다.

고개를 돌려보니 아이린이 싱긋 웃고 있었다.

재중에게로 다가온 아이린이 옆에 서서는 지금까지 보고 있던 바다 쪽으로 고개를 향한 채 물었다.

"복귀한 거 아니었나요?"

재중은 이룡이 보낸 녀석들이 바닷속에 가라앉아 버리고 아이린 혼자 살아남은 이상 인터폴로 다시 복귀할 것으로 생각했다.

정황상 동료가 다 죽고 아이린 혼자 살아남는다는 것은 누가 봐도 이상할 수밖에 없으니 말이다.

목표인 재중도 살아 있으니 삼합회에서 더더욱 아이린을 의심할 것은 두말할 필요도 없었다.

그런데 조금 전까지는 표정이 심각하게 굳어 있던 그녀의 표정이 완전히 달라져 있었다.

그렇기에 웬만하면 남의 일에 관심이 없는 재중도 의아해 물어본 것이다.

그런데 마치 그런 질문을 해주길 기다렸다는 듯 아이린이 싱긋 웃으면서 대답했다.

"누구 덕분에요."

"……?"

자신을 바라보며 대답하는 아이린의 모습에 재중이 가만히 쳐다보며 대답을 기다렸다.

"상부에 보고하려고 연락했더니 오룡이 죽어버리는 바람에 지금 삼합회가 난리 났어요. 뭐, 덕분에 저한테는 계속 재중 씨를 감시하는 임무가 떨어졌지만요."

"……."

재중은 자신이 오룡을 죽였다는 것을 삼합회에서 벌써 알아차렸다는 것에 고개를 갸웃거렸다.

사실 오룡이 데리고 있던 부하들도 모두 죽여 버린 상태이다.

거기다 오룡은 뇌가 녹아서 자살 아닌 자살을 한 상황이고 말이다.

그런데 그런 일이 일어난 지 불과 한 시간 만에 삼합회에서 알아차렸다는 것이 너무나 이상할 수밖에 없었다.

"빠르군."

재중이 오룡을 죽인 사실을 삼합회가 너무나 빨리 알았다는 사실에 고개를 끄덕이면서 한마디 했다.

"그래서 말했잖아요. 삼합회는 상상하는 것 이상으로 무서운 집단이라고요. 특히 간부 중에 누군가가 죽는 일이라도 생기면 귀신같이 알아차리니까요."

"간부 누구나 말인가요?"

재중은 아이린의 말에 순간 오룡의 머릿속에 있던 고독이 떠올라 다시 물었다.

"네. 삼합회를 구성하는 아홉 명의 구룡과 직접적으로 관련이 있는 간부급이라면 죽는 순간 무조건 삼합회에서 알아차려요."

"……"

아이린의 말에 재중이 다시 입을 다물어 버렸다.

재중이 시선을 돌려 바다를 바라보자 아이린도 조용히 입을 다물었다.

정말 짧은 시간이긴 하지만 아이린은 인터폴에서 여러 가지 훈련을 받은 사람이다.

재중의 기본적인 성격 정도는 약간이지만 파악했기에 다시 대화를 이어갈 기회를 기다리는 것이다.

특히나 지금처럼 재중에게 기대어야 할 상황이라면 더더욱 재중의 눈치를 보는 것은 당연했다.

더구나 아이린은 삼합회에 잠입한 인터폴 형사였다.

사람을 상대로 심리전을 하는 것은 이미 그 누구보다 자신 있는 아이린이기도 했고 말이다.

"훗, 그런 건가?"

"……?"

한 10분 정도 혼자 생각하는 듯 입을 다물고 있던 재중이 혼잣말처럼 영문 모를 한마디를 중얼거렸다.

아이린이 고개를 갸웃거렸지만 재중은 굳이 자신의 생각을 그녀에게 알릴 이유가 없었기에 자기 할 말을 했다.

"그럼 이제 저를 따라다니겠단 말이군요?"

"네? 뭐, 그렇죠. 저에게 명령을 내린 이룡도 지금은 정신 없을걸요. 갑자기 오룡이 죽어버리는 바람에 지금 다른 용들

보다 먼저 오룡의 기반을 먹어치우기에도 바쁠 테니까요."

한마디로 지금 재중에게 신경 쓸 상황이 아니라는 것이다.

폭력 조직 간의 의리? 그딴 것은 개나 줘버려도 전혀 이상하지 않았다.

그들에겐 오로지 힘, 돈, 권력만이 자리를 유지할 수 있는 기반이라는 것은 가장 밑바닥에 있는 녀석도 다 아는 상식이었으니 말이다.

그런데 지금은 아홉 명의 용 중에서 오룡이 갑작스럽게 죽은 상황이다.

과연 이런 상황에 그저 인신매매를 하던 정태만과 연관이 있는 재중이 중요할까, 아니면 이제 주인을 잃은 엄청난 돈이 먼저일까?

이건 생각할 것도 없다.

당연히 돈이다.

거기다 그냥 돈도 아니다.

삼합회를 움직이는 아홉 명의 용 중의 하나가 사라졌으니 오죽하겠는가.

"하긴."

사실 재중이 삼합회의 자중지란을 노리고 오룡을 죽인 것은 아니다.

그저 오룡이 자신의 일행을 노렸기에 죽였을 뿐.

하지만 마치 나비효과처럼 재중의 결정 하나에 삼합회에 때 아닌 태풍이 몰아치고 있는 것이다.

"그런데 정말 재중 씨가 오룡을 죽였나요?"

아이린도 직접 눈으로 보지는 않았지만 재중이 아니고서야 당장 크루즈에서 오룡을 죽일 만한 사람이 없었다.

그리고 아이린은 이미 알고 있기도 했다.

삼합회를 움직이는 아홉 명의 용은 각자 엄청난 무공을 소유한 무림고수라는 것을 말이다.

그리고 실제로 이룡을 만나본 아이린은 불과 몇 분 동안 마주했을 뿐이지만 그때 당시 온몸의 피가 마르는 느낌을 받았었다.

물론 재중의 능력도 잘 아는 아이린이다.

그렇기에 재중에게 무게를 조금 더 두긴 했지만, 설마 이렇게 빨리 오룡을 죽일 줄은 생각지 못했다.

씨익~

재중은 그저 웃기만 할 뿐 대답하지 않았다.

"설마 제가 삼합회에 보고라도 할까 봐 그러는 거예요?"

아이린은 그냥 말없이 웃기만 하는 재중의 모습에 살짝 심통이 나서 물었다.

멈칫!

걸어가던 재중이 발걸음을 멈추더니 슬쩍 아이린을 쳐다

보면서 대수롭지 않다는 듯 말했다.

"말해도 상관없어요. 물론 보고할 수만 있다면 말이죠. 크크크큭."

오싹!

언뜻 별것 아닌 말이다.

하지만 재중의 말을 듣는 순간 아이린은 온몸의 피가 얼어버리는 느낌을 받았다. 식은땀으로 등이 축축하게 젖어버렸다.

그리고 그와 동시에 그녀의 머릿속에 한 가지 생각이 가득 채워졌다.

별것 아닌 것처럼 말하는 재중의 저 말이 진심이라는 것이 말이다.

"농, 농담이었어요."

훈련을 받았기 때문인지, 아니면 본능인지는 모른다.

어쨌든 아이린이 억지로 입가에 미소를 지으면서 농담이었다고 말했다.

그러자 그녀의 몸을 감싸고 있던 공포가 거짓말처럼 사라져 버렸다.

씨익~

물론 재중은 아이린이 아직까지는 적이 아니라는 것을 알고 있으니 만큼 잠깐 경고를 주었을 따름이다.

인터폴인 것은 확실하고 삼합회와 적이라는 것도 확실했다.

하지만 오히려 그렇기 때문에 재중은 그녀를 신용하지 않았다.

목표만 보고 자신의 모든 것을 희생하는 사람일수록 더 위험하다.

그런 사람들은 상황에 따라 얼마든지 자신의 목적을 위해 재중을 팔아넘길 수도 있다.

재중이 그런 위험을 알면서도 경고만 하고 그만둔 것은 다른 이유가 있어서는 아니었다.

그저 굳이 그녀를 처리해야 할 이유가 없기 때문이었다.

물론 경고는 단 한 번뿐이겠지만 말이다.

재중은 그 정도 공포심을 심어주었다면 아마도 아이린이 더는 근접하지 않고 멀리서 자신을 따라다닐 것이라고 생각했다.

재중이 약하긴 하지만 드래곤 아이를 쓴 것도 아이린의 뇌리에 공포심을 각인시키려는 의도였다.

그렇게 해서 아이린이 귀찮게 따라다니는 것을 어느 정도 막아볼 목적이었던 것이다.

하지만 세상일이라는 것이 언제나 자기 마음먹은 대로 흘러가지는 않는 듯했다.

재중이 잠깐 자신의 방에 들렀다가 일행이 있는 곳에 도착해서 본 것은 바로 아이린 그녀였다.

너무나 태연하게 손을 흔들고 있는 아이린이 눈앞에 있는 것을 보고는 순간 테라를 시켜서 멀리 보내버릴까 고민하기도 했다.

물론 아이린 본인은 그런 사실을 까맣게 모르고 있지만 말이다.

Chapter 05
선상 파티

"오빠."

"응?"

캐롤라인과 천서영이 옆에서 아이린을 향해 눈으로 레이저를 내뿜고 있었다.

하지만 재중은 아랑곳하지 않고 전망 좋은 크루즈 카페에서 커피만 마시는 중이었다.

반면 그런 재중과 달리 연아는 지금 이 상황이 무척이나 불편했다.

연아는 원인을 제공한 재중의 어깨를 슬쩍 찌르면서 불

렸다.

하지만 재중의 표정을 본 연아는 이내 한숨을 내쉬었다.

"이 상황에 커피가 넘어가?"

옆의 세 여자가 뿜어내는 엄청난 눈빛 공격에 연아는 안절부절못하고 있었다.

한데 정작 그런 세 여인의 중심에 있는 재중은 그러거나 말거나 관심조차 없다는 표정이니 말이다.

"왜?"

"어떻게 좀 해봐."

스윽~

재중은 연아의 말에 그제야 고개를 돌려 천서영과 캐롤라인을 쳐다보더니,

"눈에 너무 힘주면 시력 나빠져요."

그녀들에게 상황에 전혀 맞지도 않는 말을 하고는 이번에는 아이린을 조용히 쳐다봤다.

"알았어요. 일어나면 되죠?"

아이린은 눈치 빠르게 자신이 빠져야 할 때를 너무나 정확하게 알아채고는 일어섰다.

그리고는 아무 일 없었다는 듯 카페를 나가 버렸다.

아이린이 완전히 시야에서 사라지자 그제야 캐롤라인이 재중을 쳐다보면서 물었다.

"누구예요?"

아이린은 얌전한 천서영과는 달랐다.

섹시하다는 표현을 넘어 마치 모든 남자를 다 홀릴 듯 색기가 가득한 아이린의 외모와 몸매에 캐롤라인도 재중과 만난 이래 처음으로 위기감을 느낀 듯했다.

위험하다고 느낄 만한 여자가 나타났으니 재중에게 질문하는 캐롤라인의 눈에 힘이 가득 들어가는 것은 당연했다.

특히나 아이린은 재중을 잘 아는 것처럼 행동하면서 이곳에 자리 잡은 순간부터 순식간에 여자들을 압도해 버렸다.

모델로 수많은 특이한 사람을 만나본 캐롤라인은 굳이 여자로서의 직감이 아니라도 저런 여자가 얼마나 위험한지 너무나 잘 알고 있었다.

그러다 보니 자연스럽게 재중에게 질문하는 눈에 힘이 들어갈 수밖에 없기도 했지만 말이다.

그런데 그런 속마음을 아는지 모르는지 재중은 캐롤라인의 질문에 너무도 간단히 대답했다.

"아는 사람이에요."

"……."

"……."

"오빠……."

황당한 대답에 천서영과 캐롤라인은 할 말을 잃었다.

그뿐인가?

옆에서 그걸 지켜본 연아마저도 자신의 오빠가 과연 얼마나 무심한 성격인지 다시 한 번 고민해야 할 만큼 충격적인 대답이기도 했다.

"그, 그렇군요."

재중이 그냥 아는 사람이라고 하자 캐롤라인과 천서영은 굳은 표정이 되었다.

하지만 그녀들로서는 달리 뭐라 할 말도 없었다.

재중과 사귀는 사이도 아니고 더욱이 재중이 면전에 놓고 관심이 없다고까지 한 사이다.

다른 여자가 나타났다고 그걸 따지고 든다면 오히려 자신들이 바보 같을 테니 말이다.

그런데 그런 그녀들에게 구세주가 있었으니 바로 연아였다.

"오빠, 이건 아니야! 아무리 그래도 아는 사람이라는 대답은……. 최소한 어떤 사이인지 정도는 말해줘야지! 여기 천서영 씨나 캘리 씨에게도 그렇고 나도 그렇고!"

너무나 무심한 대답에 연아가 결국 눈에 쌍심지를 켜면서 재중을 몰아세우듯 말했다.

캐롤라인과 천서영은 주먹을 강하게 움켜쥐면서 내심 연아를 응원했다.

"왜?"

하지만 재중은 오히려 연아가 화내는 이유를 모르겠다는 듯한 표정이다.

"오빠는 정말 구제불능이야."

자신이 무슨 잘못을 했는지 전혀 이해하지 못하는 듯한 재중의 모습에 연아는 끝내 폭발한 듯 재중을 향해 의자를 고쳐 앉았다.

그리고 똑바로 재중을 쳐다보면서 잔소리를 시작했다.

"오빠, 나도 오빠가 여자에 관심이 없다는 것은 잘 알지만 최소한의 예의라는 게 있는 거야. 나는 가족이니까 그렇다고 쳐도 저기 캘리 씨나 천서영 씨는 남이잖아. 그리고 누가 봐도 저 두 사람, 오빠한테 관심 있는 거 티가 팍팍 나는데, 그런 여자들 사이에 처음 보는 여자가 갑자기 나타난 것에 대한 대답이 그냥 아는 사람이라니… 그게 남자로서 할 말이야?"

흠칫!

천서영은 연아가 이렇게 대놓고 말하자 부끄러운지 고개를 돌렸지만 캐롤라인은 오히려 눈에 힘을 주면서 노골적으로 연아를 응원하는 표정이다.

"이 바보 같은 오빠야, 다시 물어볼게. 누구야?"

"그냥 아는 사람이라니까."

"……"

그렇게 잔소리 같은 설교를 하고서 다시 물어도 똑같은 대답이다.

변함없는 재중의 모습에 연아마저도 이마를 짚으면서 결국 입을 다물어 버렸다.

하지만 재중은 정말 더 이상 아이린에 대해서 딱히 할 말이 없었다.

오히려 정말 솔직한 자신의 생각을 말하고 있는데 왜 자신의 말을 믿지 못하는지 오히려 그게 이해가 되지 않았으니 말이다.

정말 재중의 입장에서 아이린은 정말 아는 사람 그 이상도 그 이하도 아니었다.

오히려 그냥 아는 사람이라는 것도 딴에는 부드럽게 바꾼 것이다.

아이린의 정체를 사실대로 인터폴이고 삼합회에 침투한 비밀요원으로 자신을 감시하기 위해서 접근했다고 말할 수는 없지 않은가?

아니, 오히려 그렇게 말하면 더 연아가 믿지 못할 것 같았다.

그래서 생각난 것 중에 가장 무난한 것으로 대답했는데 이렇게 흥분하다니……

뭐, 그래 봐야 재중의 표정에는 변화가 없었지만.

"에휴, 내가 말을 말아야지."

결국 재중의 무신경에 연아도 포기했는지 한숨을 내쉬었다.

그러더니 천서영과 캐롤라인을 보면서 대놓고 물었다.

"이런 사람이 제 오빠예요. 이래도 좋아요?"

"그, 그야……."

"뭐… 그래도……."

연아의 돌직구에 이번만큼은 캐롤라인도 당황했는지 더듬거리면서 말을 흐렸다.

천서영도 마찬가지다.

하지만 그런 두 사람을 본 연아는 재중을 향해 혀를 차며 말했다.

"아마도 오빠는 전생에 나라를 구한 영웅이었을지도. 저 두 사람에게 이렇게까지 관심을 받는 것을 보면 말이야."

그냥 한 말이었지만 그런 연아의 말에 오히려 재중은 입가에 미소를 지어 보였다.

틀린 말도 아니다.

드래고니안으로부터 멸종 직전까지 몰린 대륙의 인류와 유사인류를 구한 영웅, 그게 재중의 또 다른 이름이니 말이다.

그런데 재중의 생각을 알 리 없는 연아는 재중의 미소를 보

고는,

"웃지 마. 지금 오빠의 웃음은 거만해 보이니까."

하고 핀잔을 줬다.

하지만 과연 연아는 알고 있을까?

지금 이곳에서 재중의 웃음을 거만하게 생각하는 것은 그녀 혼자뿐이라는 사실을.

천서영은 재중의 치유 능력에 무력까지 알고 있고, 캐롤라인도 천서영만큼은 아니지만 재중의 능력을 알고 있었다.

그런 그녀들에게 오히려 재중의 저 웃음은 강자의 여유로 보였다.

어쩌면 눈에 콩깍지가 씐 캐롤라인과 천서영에게는 재중의 저 웃음조차도 멋지게 보일 것이다.

"그보다 오늘 선상 파티에는 모두 참석할 거죠?"

연아의 돌직구 때문에 분위기가 가라앉을까 염려했는지 분위기 전환을 생각하던 캐롤라인이 이야기가 끝나는 정확한 타이밍에 선상 파티에 대해서 이야기를 꺼냈다.

모두의 시선이 캐롤라인에게 모여들었다.

"그게 뭐예요?"

연아는 당연히 여객선은커녕 크루즈도 이번에 처음 탄 상황이라 무슨 뜻인지 몰라 되물었다.

반면에 모르는 듯 고개를 갸웃거리는 연아와 달리 천서영은 경험이 있는 듯 말했다.

"선장님이 주최하시는 거군요?"

"서영 씨는 경험이 있나 봐요? 네, 맞아요."

캐롤라인과 천서영만 아는 듯한 묘한 분위기에 연아가 끼어들면서 재차 물었다.

"그거 원래 하는 건가요?"

익숙한 듯한 천서영의 모습에 연아가 물었다.

"네, 뭐 원래 하는 거라기보다는 하나의 전통 같은 거죠."

"전통이요?"

호기심이 가득한 눈으로 물어보는 연아의 모습에 캐롤라인은 목소리를 살짝 가다듬더니 설명을 시작했다.

"원래는 해적들이 자신의 안전과 바다에서 살아서 다시 땅을 밟을 수 있기를 바라는 일종의 의식 같은 거라는 말이 많지만, 그냥 선장이 자신이 안전을 책임지고 있는 승객들에게 얼굴을 보여주면서 인사하는 정도의 파티라고 생각하면 돼요."

"재미있겠네요!"

미국에서 자라서 그런지 파티 문화가 익숙한 연아였다.

선상 파티의 유래를 듣긴 했지만 결국은 자신이 잘 아는 사교 파티와 그다지 다를 게 없다는 결론을 내렸다.

그리고 실제로도 선장이 승객들에게 인사하는 순간만 빼

면 별로 다를 것도 없었다. 대부분 파티에 참석한 사람들끼리 인사하는 분위기였으니 정확하게 이해한 셈이기도 했다.

다만 문제는 재중이었다.

자연스럽게 세 여인의 시선이 모이는 곳은 한 군데일 수밖에 없었다.

"왜 나를 봐?"

"그걸 몰라서 물어보는 거야, 오빠는?"

"재중 씨가 현재 저희 일행의 리더잖아요. 그러니 당연히 재중 씨가… 선상 파티를 가지 않는다면 우리도 뭐, 못 가는 거죠. 안 그래요, 서영 씨, 연아 씨?"

캐롤라인은 정말 눈치 하나만큼은 정확하게 파악하고 치고 들어온다.

재중이 안 가면 선상 파티를 가지 않아 여자들을 슬프게 하는 나쁜 놈으로 순식간에 분위기를 몰아가기 시작했다.

그에 연아도 끼어들어 덩달아 한마디 했다.

"내가 살던 미국에서는 중학생만 돼도 학교에서 파티를 할 정도로 파티는 커뮤니케이션에 가장 중요한 수단이야. 커.뮤.니.케.이.션. 말이야, 응?"

유독 커뮤니케이션에 힘을 주어 말하는 연아의 모습에 재중은 별거 아니라는 듯 말했다.

"내가 언제 안 간다고 했어?"

"헛! 오빠가 파티에 간다고?"

"응."

연아는 재중이 파티에 간다는 말에 너무나 놀라워했고, 그건 천서영이나 캐롤라인도 마찬가지였다.

놀라는 그녀들의 모습에 재중이 오히려 되물었다.

"왜 그렇게 놀라?"

"그야… 오빠는… 히키코모리잖아."

"아웃사이더……."

"독불장군……."

그에 재중에게 돌아온 대답은 그동안 자신이 어떻게 그녀들에게 비춰졌는지 고스란히 보여주고 있었다.

재중은 오히려 그런 그녀들의 반응이 이해가 가지 않았다.

사실 재중이 사람들을 만나면서 인맥을 넓히거나 사람을 사귀는 것을 좋아하진 않는 것은 모두 자라면서 홀로 버티다 보니 생긴 성격이었다.

거기다 대륙에서도 대부분 홀로 지내면서 성격이 굳어져 버렸다.

하지만 연아가 말한 히키코모리 정도는 아니었으니 말이다.

죽을 때까지 방 안에서 나오지 않는 히키코모리에 비유하는 연아의 표현이 사실 좀 과장되긴 했다.

그러나 그동안 옆에서 재중을 지켜본 연아로서는 나이 꽉 찬 남자가 옆에서 여자가 좋다고 줄을 서는데도 싫다고 하는 모습이 이해가 되지 않았다.

그런데 과연 재중을 다시 보는 듯 놀라는 눈동자로 쳐다보는 그녀들은 알고나 있을까?

재중이 파티라면 정말 지겨울 만큼 의무적으로 참석해 봤다는 것을 말이다.

뭐, 그건 나중에 저녁에 자연스럽게 밝혀질 일이긴 했다.

그런데 선상 파티로 들떠 있는 연아에게 찬물을 끼얹는 일이 생겼다.

"파티에서 입을 옷은 있어요?"

말이 선장이 주최하는 승객과 인사를 나누는 파티라고는 하지만, 이 캘리호에 타고 있는 사람들의 수준을 생각하면 선상 파티 하나도 결코 쉽게 생각할 수가 없었다.

캘리호의 표 값을 생각하면 말이다.

웬만한 신혼부부가 적금을 들어서 정말 죽기 전에 한번 타 보고 싶다는 각오를 하고 돈을 모아야 탈 수 있을까 말까 한 것이 캘리호다.

캘리호는 시설부터 규모와 모든 것이 세계 크루즈 순위 10위권 안에 들어갈 만큼 호화롭기 그지없었다.

당연히 표 값도 일반적인 사람들이 상상하는 그 이상이고 말이다.

그러다 보니 캘리호를 타는 사람 대부분이 기업가일 수밖에 없었다.

그리고 기업가들은 본능적으로 사람이 모이는 곳을 찾아다니게 마련이다.

또 굳이 캘리호처럼 세계적으로 알아주는 크루즈가 아니더라도 선상 파티는 크루즈를 타는 사람들이 가장 기대하는 것 중에 하나이기도 했다.

"음, 그냥… 이대로는 안 되겠죠?"

연아가 현재 입은 원피스를 슬쩍 가리키며 캘리와 천서영을 쳐다봤다.

그러자 둘이 맞추기라도 한 듯 동시에 고개를 돌렸다.

"최소한 이브닝드레스 정도는 입어야 해요. 선상 파티도 나름 격식이 있으니까요. 남자는 정복은 기본이구요."

"히잉!"

연아는 캘리의 말에 급 우울한 표정을 지었다.

워낙에 갑작스럽게 잡힌 크루즈 여행이다 보니 우선 필요한 것만 챙기기에도 시간이 빠듯했었다.

그 바쁜 와중에 선상 파티를 준비한다는 것은 있을 수도 없는 일이었으니 말이다.

"여기 계속 있었어요?"

그런데 때마침 크루즈를 구경하기 위해 따로 떨어졌던 전희준과 한비아, 그리고 유혜림, 유새민 자매와 유서린이 합류하했다.

그런데 그녀들까지 합세하자 당연히 선상 파티에 대한 이야기가 퍼지자 분위기가 급격하게 술렁이기 시작했다.

"선상 파티요?"

"헉! 그런 것도 있어요?"

"그거 무조건 참석해야 되는 거죠?"

"어떻게 하지? 나 옷 없는데……."

"엄마, 파티가 뭐야?"

동시에 여러 명의 여자가 한마디씩 시작했다.

조용하고 전망 좋던 테라스가 순식간에 도떼기시장처럼 시끌벅적해지는 것은 순식간이었다.

한 번 시작된 선상 파티에 관한 이야기가 점차 과열되기 시작했다.

아무리 테라스 밖이라고 해도 카페 안 사람들의 시선이 쏠리는 것은 당연했다.

"에휴, 그럼 사러 가자."

뚝!

모세의 기적이 이것보다 대단할까?

조금 과장해서 고성방가 수준으로 떠들던 여자들의 목소

리가 일순간 사라지면서 정적이 흘렀다.

"정말?"

연아가 슬쩍 재중에게 물어봤다.

재중은 내친김에 사러 가겠다는 듯 자리에서 일어서며 말했다.

"어차피 즐기러 온 거잖아. 그럼 당연히 선상 파티를 즐겨야 하지 않겠어?"

"그야 그런데……."

"어디서 옷을……."

캐롤라인이나 천서영과 달리 갑작스럽게 연락을 받고 브라질로 날아온 카페 식구 중 그 누구도 파티에 가서 입을 만한 이브닝드레스 한 벌이 없었다.

거기다 지금 이곳은 바다 한가운데의 크루즈 안이었다.

일행이 더더욱 난감한 표정들을 짓자 작은 한숨을 내쉬던 재중이 입을 열었다.

"시우바 회장님이 그렇게 자랑하시던 크루즈라면 당연히 이브닝드레스 한 벌 살 수 있는 매장이야 있겠죠, 캐롤라인 양?"

재중이 은근히 분위기를 이렇게 만든 캐롤라인에게 복수하듯 슬쩍 도발했다.

그러자 오히려 입가에 미소를 그리기 시작한 캐롤라인이다.

"이브닝드레스라……. 뭐, 직접 눈으로 보고 판단하는 것이 더 확실하지 않을까요?"

당당하게 자리를 박차고 일어선 캐롤라인이 묘하게 자신감 가득한 미소와 함께 앞장섰다.

여자들도 모두 순식간에 일어나 뒤따라 움직이기 시작했다.

그렇게 재중 일행은 순식간에 카페에서 사라져 버렸다.

여담이지만 시우바 그룹의 회장 손녀인 캐롤라인이 사라지자 오히려 안도의 한숨을 내쉰 것은 카페의 직원들이었다.

그녀 앞에서 실수라도 한 번 했다가는 그날로 이번 항해가 마지막이 될 테니 말이다.

크루즈 이름에서 알 수 있다시피 캘리호의 주인은 시우바 회장이지만, 실질적인 주인은 캐롤라인이었다.

이곳 직원 대부분을 캐롤라인 그녀가 직접 면접을 보고 뽑았다.

때문에 서비스 쪽의 직원들은 거의 캐롤라인의 얼굴을 알고 있었다.

물론 브라질 최고의 모델에 미녀로 유명한 그녀의 얼굴을 보고 잊는다는 것도 쉽지 않은 일이다.

Chapter 06
쇼핑은 피곤해

"어때요?"

캐롤라인이 안내한 곳은 극히 일부분의 고객만 갈 수 있는 특별한 매장이었다.

당연히 이곳은 일반적인 승객은 출입이 불가능했다.

캘리호는 타는 사람들의 급이 다르다 보니 필수적으로 방의 등급에 따라 손님이 들어갈 수 있는 곳과 없는 곳이 한정되어 있었다.

간단하게 말하자면 있는 사람들에게는 특별한 서비스와 대우를 해주는 것이다.

그러다 보니 당연히 방의 등급이 낮을수록 상위 등급의 방이 있는 곳은 출입이 불가능했다.

그런데 안내를 받아 도착한 곳을 본 일행은 놀란 눈으로 서로 쳐다보고만 있을 뿐이었다.

나름 크루즈를 어느 정도 알고 있다고 생각하던 천서영도 캐롤라인이 안내한 곳을 보고는 잠시 멍하니 쳐다보기만 했다.

그만큼 충격적인 것이 거기에 있었다.

"명품관… 이네요?"

천서영은 캐롤라인이 일행을 안내한 곳이 크루즈 안에서도 극히 일부분만 이용할 수 있다는 명품관이라는 것을 한눈에 눈치챘다.

천서영의 물음에 캐롤라인이 웃음을 터뜨렸다.

"호호호호홋, 역시 천산그룹의 손녀 분답게 알아보시네요. 호호호호홋!"

캐롤라인이 자신감이 가득 찬 웃음을 터뜨리며 어리바리한 표정의 일행을 데리고 간 곳은 프랑스 유명 디자이너가 운영하는 드레스 숍이었다.

"어머, 이게 누구야? 캘리 아니야?"

"오랜만이에요, 마담."

캐롤라인이 숍에 들어서자마자 화장을 진하게 한 40대 중

반의 금발여인이 빠르게 다가와 캐롤라인을 반갑게 맞이했다.

캐롤라인도 익숙하게 인사를 하면서 가볍게 포옹하는 모습이 서로가 잘 아는 사이인 듯했다.

캐롤라인의 직업이 모델이다 보니 당연히 패션쇼에 많이 설 수밖에 없다.

모델들의 꿈인 파리 패션쇼도 그녀의 주 무대 중 하나이기도 했다.

패션 쪽으로는 웬만한 사람보다 대단한 인맥을 갖춘 사람이 바로 캐롤라인이었다.

워낙에 시우바 그룹 회장의 손녀라는 타이틀이 커서 그녀 자체의 능력은 많이 가려져 있긴 했다.

하지만 실제로는 모델의 인맥도 결코 무시할 수 없었다.

모델 일만큼은 그녀가 스스로 원해서 택한 직업이고, 시우바 회장의 도움 없이 본인 스스로 지금의 위치에 올랐으니 말이다.

"우와!"

"예쁘다!"

프랑스에서도 이름만 대면 알아주는 디자이너의 옷을 전문으로 파는 숍이었다.

당연히 예쁘지 않을 리가 없다.

마치 예비군 훈련을 마치고 해산하는 사람들처럼 옷에 정신이 팔린 여자들이 흩어지는 것도 어쩌면 당연한 일이었다.

하지만 여성 옷만 파는 곳이다 보니 정작 일행을 데려온 재중은 그저 멀뚱하게 서 있을 뿐이다.

대략 30분 정도 옷에 정신이 팔린 여자들을 보면서 입구에 가만히 서 있었을까?

옆으로 느껴지는 시선에 재중이 고개를 돌려 보았다.

재중의 시선이 닿은 곳에는 조금 전 캐롤라인과 반갑게 인사했던 숍의 마담이 재중을 뚫어지게 쳐다보고 있는 게 아닌가?

"혹시 모델이신가요?"

재중과 눈이 마주치자 기회라고 생각했는지 마담이 자연스럽게 다가와 부드럽게 불어로 말을 건넸다.

왠지 필히 대답을 해야 할 것 같은 느낌마저 들게 하는 목소리였다.

"아닙니다."

재중이 마담의 물음에 너무나 자연스럽게 불어로 대답했다.

마담은 자연스럽게 귀에 박히는 재중의 불어에 놀란 표정을 지으면서 말했다.

"프랑스어가 대단히 유창하시군요."

영어보다 어렵다고 알려진 불어는 그 특유의 발음과 음의 높낮이 때문에 외국어를 배우는 사람들이 가장 어려워하는 언어 중 하나이기도 했다.

그러다 보니 외국인이 프랑스어를 할 때는 꼭 약간씩의 어눌함이 느껴지게 마련이었다.

마치 외국인이 한국어를 할 때 알아들을 수는 있지만 뭔가 어색한 것처럼 말이다.

하지만 재중의 발음에는 그런 어색함이 전혀 없었다.

눈을 감고 들었다면 아마 프랑스 사람과 이야기한다고 느낄 정도였기에 마담이 이처럼 놀란 것이다.

사실 딱 봐도 재중의 외모는 동양인이었다.

물론 키가 크고 약간 마른 체형이어서 패션쇼를 자주 접하는 사람이 본다면 모델로서 이상적인 몸매를 가지고 있긴 했다.

패션쇼를 다니면서 수많은 모델을 봐온 마담이 재중을 향해 프랑스어로 말을 건넨 것도 당연히 나름 생각이 있었기에 일부러 그리한 것이다.

알아듣지 못한다면 영어로 다시 물어보면 되는 일이기에 계획한 실수인 셈이다.

"별말씀을."

재중도 계속 뒤통수가 따갑게 자신을 쳐다보는 마담의 시선을 모르고 있는 것은 아니었다.

하지만 다른 여자들과 왔기에 애써 무시하려고 했던 것이다.

그러나 무시할 수준을 넘어 무언가 강한 갈망을 담은 마담의 눈동자에 결국 시선을 마주하고야 말았다.

"혹시 캘리와 어떤 사이시죠?"

모델계에서도 이상하게 사생활이 깔끔했던 캐롤라인이다.

남자와 단 한 번의 스캔들은커녕 파파라치들에게조차 남자와 함께 길을 걷는 장면조차 한 번 찍히지 않았던 것이다.

그녀를 잘 아는 마담은 당연히 시우바 그룹이라는 배경 때문에 그녀 스스로 자신에게 접근하는 남자를 일부러 막는다고 생각했다.

그건 캐롤라인도 어느 정도 인정한 부분이었다.

때문에 캐롤라인이 남자와 함께 왔다는 것은 그녀로서는 엄청난 일이었다.

"시우바 회장님의 부탁을 받은 사이라면 설명이 될까요?"

재중은 자신이 왜 처음 보는 마담에게 이런 걸 말해야 하는지 속으로는 못마땅했다.

하지만 일행인 캐롤라인과 아는 사이이고 특히나 오늘 저녁에 있을 선상 파티에 쓸 드레스를 이곳에서 살 것이 뻔하기에 자기 나름대로 마담을 접대하기로 했다.

물론 누가 누굴 접대하는 건지는 잘 모르겠지만 말이다.

"호오~ 정말인가요?"

그런데 재중의 대답을 들은 마담은 오히려 눈동자가 반짝였다.

그리곤 다시 재중을 꼼꼼하게 살펴보기 시작했다.

사실 처음 본 사람이 노골적으로 자신의 몸을 훑어보는 것만큼 기분 나쁘고 실례인 경우도 없을 것이다.

그것도 여자가 남자를 말이다.

"제가 그렇게 신기합니까?"

"어머, 이런 실수를……."

마담은 재중이 일부러 돌려서 한 말을 바로 알아들었는지 얼굴을 살짝 붉히며 사과를 했다.

딱히 의도하고 쳐다본 것은 아닌 듯했기에 재중도 그냥 넘어갔다.

아무래도 패션 쪽에 있는 사람이다 보니 그럴지도 모른다는 생각이 들기도 했다.

바로 사과하는 모습에 진심이 묻어나기도 했기에 입가에 미소를 지으면서 받아들인 재중이다.

그런데 그런 재중의 미소를 본 마담은 다시 눈동자가 반짝였다.

"미소가 매력적이시네요."

"그런 말 많이 듣습니다."

"호호호호홋, 역시 뭔가 모를 미묘한 매력이 제 시선을 사로잡았을 때 무언가 있다 싶었지만 설마… 후후후훗."

"……."

"그보다, 우리 캘리 참 예쁘지 않나요? 몸매도 모델 중에서는 최고로 알아주니까요. 얼굴도 뭐, 저런 미인 찾기 힘들죠."

"……."

갑자기 캐롤라인에 대해서 칭찬을 늘어놓는 마담의 모습에 순간 재중의 뇌리에 중매를 하는 사람이 떠올랐다.

재중은 그저 갑자기 떠오른 생각에 입가에 미소를 지었는데, 그녀가 보기에는 자신의 말에 100% 동의하는 대답으로 보일 수밖에 없는 타이밍이었다.

"호호호호홋, 그럼 전 이만 가장 아름다운 여인을 만들러 가야겠네요. 호호호홋!"

마치 바람처럼 왔다가 혼자 떠들고 가버린 마담의 모습에 왠지 이곳에 있으면 계속 마담의 수다를 들어줘야 할지도 모른다는 생각이 들기 시작했다.

상황이 그러니 재중은 이곳에 계속 있어야 하나 고민이 들었다.

그런데 그 순간,

―마스터, 아무래도 직접 만나서 확인하셔야 할 것이 있어요.

'확인할 것?'

재중은 테라가 조용히 부르는 목소리에 잠시 고개를 갸우뚱거렸다.

하지만 이내 연아에게 다가갔다.

"난 먼저 돌아가 있을게."

"응? 그냥 가려고? 오빠는 정장 있어?"

"응."

재중은 굳이 이곳에서 정장을 사지 않아도 충분했다.

테라의 아공간에 이미 웬만한 옷은 다 있다는 것을 알기에 미련없이 할 말만 하고 발길을 돌려 버렸다.

연아는 그런 재중의 모습이 못내 서운한 듯 입술을 내밀었다.

하지만 재중의 저런 모습을 이해할 수밖에 없는 연아였다.

"알았어. 그럼 좀 있다가 봐."

결국 연아는 그렇게 말할 수밖에 없었다.

재중도 그런 연아의 마음을 아는지 고개를 돌려 웃으면서 손을 흔들어주었다.

Chapter 07
정말 고독이었어?

재중귀환록

재중은 곧바로 사람들의 시선이 없는 구석의 어두운 그림자를 통해 자신의 방으로 돌아왔다.

　테라는 이미 방에서 재중을 기다리고 있었다.

―마스터!

"응?"

　재중이 그림자에서 모습을 드러내자마자 테라가 총알같이 재중의 앞으로 달려왔다.

　심하게 눈을 반짝이면서 양손을 흔드는 테라의 모습을 본 재중은 피식 웃어버렸다.

오랫동안 함께 지내다 보니 자연스럽게 알게 된 것 중에 하나가 있다.

바로 테라가 자신이 궁금해하던 것이 풀리거나 아니면 굉장한 것을 발견했을 경우 지금처럼 흥분해서 양손을 흔든다는 것이다.

"무슨 일인지 말해봐."

재중이 테라의 머리를 쓰다듬으면서 천천히 소파로 가서 앉았다.

테라는 곧장 허공에 손을 뻗어 아공간을 열더니 무언가를 꺼내 재중 앞에 내밀었다.

"이건 그 벌레 아니야?"

오룡의 머릿속에서 꺼낸 벌레가 투명한 막에 빈틈없이 둘러싸인 것을 보고 재중이 물었다.

─네, 맞아요, 마스터. 그런데요, 이게 정말… 마스터의 추측이 맞았어요.

"응? 내 추측이 맞다니?"

재중은 테라의 말을 듣고 얼마 뒤에서야 자신이 했던 말이 생각났다.

한 박자 늦게 놀란 표정으로 테라를 쳐다보자 테라가 고개를 끄덕이고는 대답했다.

─이거 고독이 맞아요. 정말 고독이라는 게 있었어요.

테라는 재중의 추측이 맞았다는 사실보다 그저 상상 속에서만 존재한다고 생각되던 고독이라는 벌레가 실제로 존재한다는 것을 자신의 눈으로 확인한 것에 더욱 감동하고 흥분한 듯했다.

"어떻게 확인한 거야?"

테라가 저 정도로 흥분했다면 당연히 오룡의 머릿속에서 나온 것이 고독이라는 것에 의심의 여지는 없다.

하지만 저 벌레가 어떻게 오룡의 뇌를 그렇게 순식간에 녹여 버렸는지는 여전히 궁금했다.

재중이 물어보자 테라가 바로 입을 열었다.

─가장 확실한 것은 인간의 뇌에 직접 이 벌레를 넣어서 실험하는 거죠. 후후훗, 그래서 알아낸 것이 몇 가지 있는데… 정말 이곳 지구는 마법은 없지만 신기한 것이 많은 곳이에요, 마스터.

"실험?"

재중은 설마 테라가 인체 실험을 했을 줄은 몰랐기에 되물어봤다.

─걱정 마세요. 마스터의 기준으로 쓰레기 중에도 특별히 재활용이 불가능한 녀석들만 골라서 했으니까요. 하지만 덕분에 엄청난 데이터를 얻을 수가 있었어요.

재중은 테라가 인간을 가지고 실험했다고 하자 즉시 일어나 테라 앞에 섰다.

—마… 스터?

눈치라면 테라보다 빠른 존재가 과연 있을까 싶을 만큼 재빠른 그녀이다.

거기다 재중과 그렇게 오랫동안 지낸 그녀였다.

지금 분위기가 변한 재중의 모습을 보고 뭔가 이상하다는 것을 느끼지 못한다면 아마 진작에 재중과 갈라섰을 것이다.

"테라."

—넷, 마스터!

"누가 인간을 상대로 실험하는 걸 허락했지?"

—그게… 그게… 그냥… 제 마음대로…….

가라앉은 목소리였다.

하지만 테라는 그 가라앉은 목소리에서도 재중이 진심으로 화를 내고 있는지 아닌지를 정확하게 파악할 수 있을 만큼 재중에 대해서 잘 알고 있다.

그래서 테라는 분명히 알 수 있었다.

지금 재중이 진심으로 화를 내고 있다는 것을 말이다.

"드래곤의 마도서라면 인간을 가지고 실험해도 되는 건가?"

—그게… 그러니까… 죄송해요, 마스터.

즉각 자신의 실수를 깨달은 테라가 곧바로 재중에게 사과했다.

조용히 몸을 돌린 재중이 테라를 향해 한마디 했다.

"나를 노리는 적은 죽여도 된다. 하지만 덤비지도 않은 녀석을 찾아서 죽이는 것은 힘에 취한 드래고니안들과 뭐가 다르지?"

―히끅……. 네, 마스터. 조심할게요.

"흑기병."

재중이 갑자기 흑기병을 불렀다.

그러자 재중의 그림자가 아닌 소파 아래쪽 그림자에서 흑기병이 모습을 드러냈다.

"너도 마찬가지다."

재중은 만약의 경우를 염두에 두고 지금 강하게 경고를 해두어야겠다고 생각했다.

그래서 일부러 연아의 그림자에서 보호하고 있는 흑기병까지 부른 것이다.

물론 흑기병은 테라와 달리 조심스러운 성격이다.

그러나 반면에 한 번 적이라고 판단하면 물불을 가리지 않는 성격이기도 하다.

그래서 미리 경고해 두려는 것이다.

―네, 마스터.

"가봐."

재중이 나직하게 축객령을 내리자 흑기병은 다시 본래의 위치인 연아의 그림자로 사라져 버렸다.

흑기병까지 불러서 경고하는 경우는 오랫동안 같이 있던 테라도 본 적이 없는 모습이었다.

때문에 테라는 제법 기가 죽은 상태였다.

테라가 마치 큰 귀를 축 늘어뜨린 토끼처럼 한껏 기죽어 있자 재중이 다시 다가가 테라의 머리를 쓰다듬으면서 말했다.

"야단맞고 그러면서 배우면 되는 거다. 하지만 같은 실수를 반복하지는 마라. 알겠지?"

─히끅! 네, 마스터. 흑흑흑, 다시는 안 그럴게요. 우에엥⋯ 흑흑흑!

거의 화를 내지 않는 재중이 진심으로 화낸 것이 자기 때문이라고 생각해 긴장하던 테라는 결국 재중이 달래주자 참았던 울음이 터져 버렸다.

정작 화를 낸 재중은 별수 없이 조용히 가슴으로 안아주면서 잠시 동안 테라를 달래주어야만 했다.

드래곤의 마도서라면 정말 엄청난 지식을 가진 존재이다.

항간에는 드래곤의 탄생과 역사를 함께했을지도 모른다고, 그만큼 오랜 세월을 살아온 마도서라고 말하는 이도 있었다.

아니, 그 말이 어쩌면 맞을지도 몰랐다.

드래곤의 마도서인 테라는 정말 자신이 알고자 하는 것은 어떻게든 알아냈다.

그리고 또 그것을 자신의 본체인 마도서에 기록해서 영원히 보관했다.

하지만 그렇기에 위험하기도 했다.

순수한 호기심이야말로 어떻게 보면 더 잔인할 수도 있으니 말이다.

아니, 오히려 너무나 순수하기에 잔인할 수도 있었다.

그리고 테라는 드래곤이 마도서를 지키기 위해서 인공적으로 만든 자라는 특이점이 있었다.

그래서인지 의외로 어린애 같은 성격과 드래곤 특유의 자만심이 쉽게 겉으로 드러나는 편이기도 했다.

하지만 지금처럼 잘못했을 때 야단치지 않으면 똑같은 실수를 계속할 수도 있기에 일부러 조금 엄하게 한 것도 있었다.

사실 재중을 만나기 전까지 테라는 드래곤을 제외한 모든 종족을 하등한 생물로 생각했을 정도였다.

그것에 비하면 지금은 정말 개과천선했다고 해도 맞을 만큼 많이 바뀌긴 했다.

그럼에도 은연중 아직 자신의 목적을 위해서 수단과 방법을 가리지 않는다.

그걸 보면 여전히 재중의 간섭이 많이 필요한, 손이 많이 가는 녀석이었다.

"말해봐."

긴장했던 테라의 표정이 평소의 모습으로 돌아온 듯하자 재중이 다시 본론으로 넘어가 물었다.

─우선 이 고독이라는 벌레의 독은 딱 세 번까지만 뿜을 수 있다는 거예요. 그리고 독을 뿜고 나면 자신의 독에 자기 몸까지 깨끗하게 녹아서 흔적도 없이 사라져 버리기도 해요.

"없어져 버려?"

재중은 세 번의 독을 뿜을 수 있고, 거기다 자신의 몸까지 녹여 버린다는 테라의 말에 표정이 살짝 굳어졌다.

마법과 그 외 기상천외한 것이 많은 대륙에서조차 고독과 같은 벌레는 들어본 적이 없으니 말이다.

"운이 좋았던 건가?"

재중이 나직하게 중얼거리자 고개를 끄덕이는 테라였다.

─정말 운이 좋았어요. 만약에 마스터께서 30초만 늦게 고독을 발견했다면 저희도 고독의 존재를 몰랐을 테니까요.

"완전범죄군."

사람의 뇌 속에 잠들어 있다가 특정한 조건이나 명령이 있으면 독을 뿜어 뇌를 녹여 버리는 벌레이다.

그뿐인가?

뇌가 녹을 만큼 강한 독에 결국 벌레 자신의 몸도 녹아서 흔적도 없이 사라져 버리기까지 한다.

과연 누가 그 존재를 알아챌 수 있을까?

장담하는데 뇌가 녹아서 죽은 것까지는 알아도 어떻게 죽었는지는 그 누구도 모를 것이다.

어쩌면 인체 발화처럼 뇌가 녹아서 죽어버리는 미스터리로 남겨져 버릴지도 몰랐다.

고독이라는 벌레로 인한 살인이라는 것도 모른 채 말이다.

무엇보다 고독의 가장 무서운 점은 바로 원하는 조건에 맞춰서 죽일 수 있다는 것이다.

뇌가 녹아버린다면 재중 자신도 버틸 수 있을지 조금쯤 의문이 들 정도로, 오룡의 뇌 속에서 꺼낸 고독의 존재는 치명적이었다.

물론 재중이라면 고독이 몸속에 들어와도 나노 오리하르콘이 먼저 반응했을 것이다.

하지만 재중처럼 나노 오리하르콘을 가지고 있지 않는다면 언제 어떻게 죽을지 그 누구도 장담할 수 없는 상황이다.

─그리고 삼합회 뒤에 다른 무언가가 있는 듯해요, 마스터.

"아마 그렇겠지."

재중도 은연중에 느끼고 있었다.

삼합회를 움직이는 아홉 명 중 한 명의 뇌 속에 들어 있던 고독이다.

만약 삼합회에서 고독을 만들었다면 미쳤다고 자기가 만든 최고의 살인 무기를 자기 머릿속에 집어넣겠는가?

그런 바보가 있을 리는 없다.

그리고 재중이 생각하기에 오룡 본인도 자기 머릿속에 고독이 있다는 것을 전혀 모르고 있던 것 같았다.

─그리고 이건 제 판단인데요, 마스터께서 말한 항아리 속에 벌레를 가득 채워서 땅속에 파묻은 뒤 남은 한 마리가 고독이라고 해도 그건 고독이 되는 첫 단계일 뿐이라고 생각해요.

재중은 테라의 진지한 말에 고개를 들어 그녀를 보면서 물었다.

"왜 그렇게 생각해?"

─생각해 보세요. 벌레가 무슨 지능이 있어서 특정 조건일 때만 깨어나도록 길들이겠어요? 그건 대륙의 흑마법사들에게도 가능은 하지만 제약 조건이 너무 많은 마법이에요. 필수적으로 마법을 쓴 마법사가 가까이 붙어 있어야만 한다는 까다로운 조건 때문에 사용하지 않는 마법이죠. 그만큼 효율이 최악인 마법이기도 해서 거의 사라졌어요.

"하긴."

테라의 말을 들은 재중은 고개를 끄덕였다.

마법으로 가능은 하다.

하지만 길들인 독물을 넣은 사람 곁에서 24시간 평생 같이 있어야 한다면 이건 마법으로 구속하는 게 아니다.

오히려 마법사가 구속을 당하는 셈이니 말이다.

―뭔가 영적인 의식이나 그걸 사용할 만큼의 능력자가 있어야 하는데, 아무래도 지금 제게 생각나는 녀석들이 좀 많이 의심스러워요.

테라가 말하는 녀석들이 누군지 재중도 바로 알아차렸다.

"검예가를 삼키려던 녀석들을 말하는 거겠지?"

―네. 대륙에서도 거의 사라진 기술까지 쓰는 녀석들이에요. 어쩌면 대륙의 마법 지식과 이곳 지구의 지식을 합쳐서 고독을 만들 수도 있지 않을까 하는 예상이에요, 저는.

"가능하겠지."

막노동을 하면서 공사장을 전전하던 경험이 있는 재중이다.

공사장을 떠돌아다니면서 가장 많이 접한 것이 바로 소설책이었다.

공사장의 경우 갑자기 비가 오거나 하면 공사가 중단되는 경우가 많다.

그렇게 갑작스럽게 쉬는 경우 어디 가지도 못하고 숙소에 머물곤 했다.

그러다 보니 자연스럽게 주변에 널린 소설책을 많이 읽게 되었고, 그중에서 구하기 쉬운 무협소설을 많이 읽은 것은 어쩌면 당연했다.

"앞으로 귀찮아질지도 모르겠어."

재중은 고독이라는 벌레를 통해 테라의 예상처럼 대륙의 마법 지식과 지구의 지식이 합쳐진 것일지도 모른다는 짐작에 잠시 생각에 잠겼다.

과연 고독 하나뿐일까? 라는 의문이 저절로 들었으니 말이다.

다른 것은 재중도 다 무시할 수 있었다.

개인의 평화로운 생활을 계속 이어갈 수 있다면 말이다.

하지만 재중의 직감이 경고하고 있었다.

재중의 바람과는 달리 앞으로도 녀석들과 계속 부딪칠 것이라고 말이다.

―그래서 말인데요, 마스터. 삼합회를 이대로 그냥 둬도 될까요?

"……."

재중은 잠시 생각에 빠졌다.

시작은 그저 자신의 복수를 위해서였다.

하지만 결국 운명의 장난인지 검은 복면의 녀석들과 계속 부딪치고 있다는 것을 인정하지 않을 수 없으니 말이다.

특히나 전쟁을 겪은 재중은 검은 복면 녀석이 계속 거슬리기도 했다.

그저 굳이 평화로운 지금의 일상을 깨고 싶지 않기에 애써 무시하고 있었다.

하지만 운명이 어떻게 흐를지 재중 본인도 아직 알 수 없는 일이다.

"삼합회 뒤에 그 녀석들이 있을 확률이 얼마나 되지?"

테라는 재중의 질문에 직감했다.

지금 자신의 말에 따라 재중의 행동이 바뀔 수도 있다는 것을 말이다.

신중히 생각에 잠겼던 테라가 곧 입을 열었다.

─적어도 70% 이상이에요.

70% 확률이라면 확정적이진 않다.

하지만 그 말을 한 것이 테라이기에 상황은 완전히 달라질 수밖에 없었다.

마법사들은 좀 독특한 것이 0% 아니면 100%이다.

그 말은 진실 아니면 거짓 두 가지만 존재한다는 뜻이다.

자신의 눈으로 본 것은 100% 믿지만 보지 않은 것은 그 어떤 것도 믿지 않는다.

마법사인 테라가 70%라고 한 것은 증거만 없다는 뜻이었다.

즉 정황상 삼합회 뒤에 예전에 검예가에서 재중을 귀찮게 하던 녀석들이 있을 가능성이 100%라는 것과 마찬가지였다.

"난 주머니 속의 송곳이었군."

재중이 냉정하게 현재 자신의 위치를 생각하고 그걸 간단하게 한마디로 표현했다.

테라도 공감하는 듯 고개를 끄덕였다.

사실 재중은 여태까지 힘을 발휘하면서 무슨 지구를 정복하느니 세계를 뒤집는다느니 하는 짓은 하지 않았다.

하지만 반대로 힘을 숨기지도 않았다.

결과적으로 이런 일이 언제고 일어날 위험이 있다는 것을 스스로도 알고는 있었다.

하지만 설마 단 한 번 동정심에 박인혜를 구해준 인연이 결과적으로 숨어서 뒤에서 세상을 조정할 것 같은 세력과 꼬이게 될 줄은 몰랐다.

―마스터.

"응?"

―이건 제 생각인데요, 아무래도 저희도 세력이 필요할 것 같아요.

"세력?"

―제 생각에는 삼합회는 이미 녀석들의 수중에 넘어간 상태로 보이구요, 검예가도 아마 이대로라면 녀석들의 수작에

넘어갈 것이 분명해요. 그리고 그 말은 마스터의 적은 대륙에서 개별적으로 싸웠던 드래고니안과는 완전히 다른, 세력을 가진 녀석들일 가능성이 높다는 뜻이에요.

"높은 게 아니라 거의 확실하겠지."

재중도 테라의 말에 고개를 끄덕였다.

사실 굳이 테라가 설명하지 않아도 자신도 그 정도는 알고 있으니 말이다.

하지만 지금 재중이 망설이는 것은 바로 상대가 비밀에 싸여 있는 녀석들이라는 것이다.

대륙에만 있다는 기술을 쓰는 검은 복면도 거슬리지만, 녀석이 모신다는 자들이 더욱 재중을 주저하게 만드는 이유였다.

─마스터, 녀석들을 지금 당장 처리하지 않더라도 지금처럼 저와 깡통, 그리고 마스터만으로 녀석들의 도발을 계속 감당하기에는 사실 무리가 있잖아요.

"……."

테라는 재중을 설득하기 위해서 계속 말했지만 재중은 그저 생각에 잠긴 듯 말없이 눈을 감아버렸다.

─그럼 제가 적당히 준비만이라도 하고 있을게요.

스윽~

재중은 테라가 이상하게 고집스럽게 계속 요구하는 모습

에 결국 눈을 뜨고 쳐다보았다.

　—현재 마스터께서는 중요하게 생각하지 않으실지 몰라요. 하지만 마스터의 인맥에 제가 움직이면 당장 녀석들에 맞서기에는 문제가 있겠지만 최소한 시간을 벌 수는 있을 거라고 생각해요.

　테라의 말에 재중도 만약에 검은 복면 녀석들과 싸움이 시작된다면 가장 필요한 것이 무엇일까를 생각해 보았다.

　하지만 아무리 생각해도 현재 자신의 무력에 더 이상 무력을 더한다는 것은 불가능했다.

　과거 나노 오리하르콘을 이용해서 재중을 괴물로 만들어 버린 베르벤조차 재중이 지금과 같은 힘을 가지리라고는 예상하지 못했었다.

　드래곤의 피가 각성해서 괴물을 넘어 처음으로 인간의 몸을 가진 드래곤이 탄생하게 되리라고는 말이다.

　괴물이라는 말조차 초라해질 만큼 강력한 재중이다.

　드래곤의 피가 가진 능력과 나노 오리하르콘의 힘으로 그 힘이 어디가 끝인지 짐작조차 할 수 없는 자신이 여기서 더 힘을 가진다는 것은 무의미했으니 말이다.

　하지만 그렇게 강하다고 해도 결국 재중은 혼자였다.

　그러다 보니 생각하던 재중이 얻어낸 해결책은 바로 시간이었다.

만약에, 정말 만약에 자신의 모든 것을 위협할 수 있는 녀석들이 앞을 가로막는다면 그 순간에 가장 필요한 것은 바로 시간밖에 없다는 것을 깨달은 것이다.

"시간이라……."

—네, 마스터에게 필요한 것은 시간이에요. 아무리 짧은 시간이라도 마스터께서 직접 움직여서 작은 마스터 등을 보호할 수 있는 시간 말이에요.

테라는 재중이 자신의 말에 어느 정도 반응을 보이자 재빨리 재중의 약점인 연아까지 말하면서 강력하게 밀어붙였다.

"네 말은 이해해. 하지만 아직 굳이 녀석들을 자극할 필요는 없다고 생각한다."

그러나 결과적으로 재중은 굳이 먼저 나서서 녀석들을 자극할 필요는 없다고 말했다.

테라가 시무룩한 표정을 지으려는 순간, 재중이 뒤이어 말을 덧붙였다.

"하지만 테라 네 말도 틀린 건 아니야. 대륙에서 이미 멍청하게 당장의 평화에 만족해 아무것도 하지 않고 있다가 한번 당해봤으니까 말이야."

드래고니안과 싸우던 시절, 재중은 일대일로는 더 이상 상대가 되지 않는다는 생각에 드래고니안 세 마리를 동시에 상대한 적이 있었다.

조급함도 있었지만 기본적으로 그 밑바탕에는 자신은 이미 강하다는 자만심이 깔려 있었기에 행한 무모함이었다.

결과는 참혹했다.

드래고니안들은 그저 성격상 개별적으로 움직였을 뿐이었다.

세 마리가 힘을 합치자 세 배가 아닌 열 배 이상의 위력을 발휘했다.

그 당시 재중의 몸속에 잠들어 있던 드래곤의 피가 각성하지 않았다면 아마 대륙은 드래고니안으로 인해 모든 종족이 멸종했을 것이다.

자만심은 자기 자신을 죽이는 칼날이라는 것을 이미 그때 한 번 깨달은 재중이었다.

그런 재중이 같은 실수를 할 리가 없었다.

―마스터?

"준비는 해."

―정말요?

"누가 그랬지. 평화를 지키려면 전쟁을 준비하라고 말이야."

―맞아요. 맞는 말이에요.

"단, 준비만 해둬. 알았지?"

자신이 허락하는 순간 테라가 또 무슨 수단과 방법을 가리지 않고 세력을 만들지 몰랐다.

때문에 재중은 일부러 약간의 제약을 둘 수밖에 없었다.

—네, 걱정 마세요. 저도 같은 실수를 반복하진 않아요, 마스터.

테라가 무슨 꿍꿍이가 있어서 기다렸다는 듯 이렇게 재중에게 세력이 필요하다고 우기는 건지는 알 수 없었다.

하지만 테라가 하는 말이 사실 틀린 말은 아니었다.

상대의 덩치가 크다면 대응하는 쪽도 어느 정도 덩치가 있어야만 한다.

그래야 보는 사람도 안심이 되는 법이다.

재중 개인이라면 사실 그까짓 숨겨진 세력, 오히려 찾아가서 부숴 버렸을 것이다.

몇 년이 걸리더라도 말이다.

하지만 재중에게는 평범하게 살길 바라는 연아가 있었다.

그래서 여태까지는 가능하면 직접적인 공격이 없는 이상 무시하려고 했던 것이다.

그러나 운명이 그를 그렇게 놓아두지 않는다면 언제까지 무시할 수만은 없는 일이 아니겠는가?

준비해야만 했다.

어떤 공격을 해올지 아직 전혀 알지 못하니 말이다.

Chapter 08
비밀 폭로?

똑똑똑.

테라와의 이야기가 대충 끝나가는데 노크 소리가 들려왔다.

—마스터, 전 이만 가볼게요.

테라는 크루즈를 타지 않은 것으로 되어 있었다.

다른 사람들의 시선에 띄어서 좋을 게 없어 곧바로 재중의 그림자 속으로 사라져 버렸다.

재중이 방문을 열어보니 연아를 비롯해서 조금 전 이브닝 드레스 숍에서 쇼핑하던 일행이 전원 몰려와 있다.

"내 방에는 다들 어쩐 일이야?"

재중은 옷을 샀다면 당연히 각자의 방으로 돌아가서 쉬거나 크루즈를 돌아다닐 것이라고 생각했었다.

그런데 뜻밖에도 일행 전원(모두 여자뿐)이 재중이 문을 열자마자 쏟아져 들어왔다.

"오빠."

"응?"

"선상 파티 때 오빠는 누굴 에스코트할 거야?"

"에스코트?"

"응."

뜬금없이 자신이 파티에 누구를 에스코트할 건지 물어보자 재중이 고개를 갸웃거렸다.

연아는 역시나 그럴 줄 알았다는 듯 한숨을 내쉬었다.

그리곤 재중의 손목을 잡고 침실 방으로 들어가 문을 닫아 버렸다.

"그래도 혹시 모르니까."

철커~

문을 닫고 거기다 방문까지 잠가 버린 연아는 그제야 안심이 된다는 표정으로 재중에게 다가왔다.

"무슨 일이야, 문까지 잠그고?"

재중은 연아가 침실 방문까지 잠그는 모습에 의아한 듯 물었다.

"이건 오빠를 위해서니까 우선 잔소리 말고 여기에 앉아
봐."

거의 강제적으로 재중을 자리에 앉힌 연아는 재중을 똑바
로 쳐다보면서 입을 열었다.

"캐롤라인 씨, 천서영 씨 둘 중에 누구를 에스코트할 거
야?"

연아가 아예 재중이 둘 중에 한 명은 무조건 선상 파티 때
에스코트를 해서 들어가야 한다는 것처럼 물었다.

예상치 못한 질문에 황당한 표정이 된 재중이 되물었다.

"내가 왜 그래야 하는데?"

"왜긴, 파티야. 남자가 여성을 에스코트해서 파티장에 들
어가는 건 당연한 거 아니야?"

연아가 미국에서 졸업 파티 같은 것을 할 때는 여자가 남자
의 에스코트를 받는 것이 자연스러웠다.

연아는 당연히 경험한 게 있으니 자신이 아는 대로 이렇게
물어보는 것이다.

대륙에서조차 혼자 파티장에 입장했었던 재중이었다.

드래고니안과 싸우는 영웅이기에 그런 재중의 에스코트를
받는 것을 부담스러워하는 여자가 많은 것도 있었지만 재중
의 성격상 대부분 혼자일 수밖에 없었던 것이다.

당연히 그런 재중이니 파티장에 들어가는데 남자가 에스코트해 주는 것이 뭐가 그리 중요하냐고 생각했다.

하지만 연아의 생각은 달랐다.

연아의 경험상 파티에서 여자가 혼자 들어가는 경우와, 남자의 에스코트를 받아서 들어가는 경우 주변의 시선이 확연하게 달라졌다.

여자 혼자 들어가는 경우, 사실상 스스로 자신이 인기가 없다는 것을 말하는 것이나 마찬가지였다.

반대로 남자가 있을 경우 최소한 자신을 위해 파티장을 에스코트해 줄 남자가 있다는 것을 굳이 말하지 않아도 모두에게 알리는 역할을 했다.

그리고 파티가 끝나서 나갈 때까지 에스코트한 남자가 파티장에 같이 들어온 여자를 보호해야 하는 불문율도 있었다.

하지만 파티 경험은 있지만 이런 세세한 것까지는 신경 쓸 일이 없었기에 전혀 모르고 있던 재중이었다.

연아가 결국 아무것도 모르는 재중에게 설명해 주자 이해는 한 듯 고개를 끄덕였지만.

"그럼 네가 모두 데리고 갔다 와."

"응? 그게 무슨 말이야?"

의도한 것과 달리 재중이 가지 않겠다고 말하자 당황한 것은 연아였다.

"여자 혼자 들어가면 실례라며. 그러니까 연아 네가 다 데리고 여자들끼리 한꺼번에 입장하면 아무런 문제 없잖아? 안그래?"

완전 엉뚱한 해결책을 내놓아 버린 재중이다.

연아는 입을 다물어버리고는 재중을 뚫어지게 쳐다보기 시작했다.

"오빠."

"응?"

"오빠, 정말 파티를 접해본 적 없어?"

재중은 순간 연아의 말에 속으로는 뜨끔했지만 당연하다는 듯 고개를 끄덕였다.

"난 그럴 여유가 없었다. 그리고 한국에는 파티 문화가 없는 건 너도 알잖아."

"그런데 어떻게 파티장에 여자들이 단체로 입장하면 된다는 것을 알아?"

멈칫!

순간 재중은 자신이 실수했다는 것을 깨달았다.

하지만 이미 엎어진 물이요 떠난 버스였다.

"그냥… 그럴 것 같아서……."

고개를 돌리면서 대충 얼버무리는 재중의 행동에 연아는 여자의 직감이 발동했다.

연아가 재중의 얼굴을 양손으로 덥석 잡더니 강제로 자신과 눈이 마주치게 만들었다.

"오빠, 솔직히 말해. 파티 처음 아니지? 그렇지?"

"……."

차마 세상에 이제 하나 남은 피붙이 여동생에게는 거짓말을 하기 싫은 재중이었다.

결국 재중은 입을 다물어 버렸다.

그러자 연아는 재중이 파티에 대해서 자신만큼, 아니, 자신보다 어쩌면 더 잘 알고 있을지도 모른다는 확신이 들기 시작했다.

"오빠, 귀찮다고 그렇게 피하기만 해서는 안 돼."

재중의 성격상 귀찮은 것을 극도로 꺼린다는 것을 연아도 이미 알았다.

지금의 상황도 그럴 것 같아 말하자 재중이 침묵으로 답을 대신했다.

"오빠, 그녀들이 불쌍하잖아. 안 그래? 오빠가 좋다는데…여자가 남자 좋다고 따라다니는 게 얼마나 비참한 일인지 오빠는 모르지? 그치?"

갑자기 연아가 캐롤라인과 천서영 편을 들면서 재중에게 하소연 같은 말을 시작했다.

재중도 처음에는 자신이 잔머리 굴리려다 걸린 것 때문에 참아주었으나 결국 한숨을 쉬면서 입을 열었다.

"이성으로 관심이 없다고 말했다, 나는."

"…응? 방금 뭐라고 했어?"

자기 말을 열심히 하다가 갑자기 튀어나온 재중의 말을 놓친 연아가 되물어봤다.

"난 분명히 말했다. 이성으로 관심이 없다고."

"누구한테?"

"캐롤라인과 천서영 씨에게 말이야."

재중의 갑작스런 말에 연아는 멍하니 이해가 가지 않는다는 표정으로 얼굴만 쳐다보다가 말했다.

"오빠 말이 맞다면… 거절당했는데도 캐롤라인과 천서영 씨가 오빠를 따라다닌다는 거야?"

연아는 자신의 오빠지만 같은 여자로서 뭔가 분한 감정이 가슴속에서 치솟는 것을 느끼면서 물었다.

"응."

너무나 얄밉게 단답형으로 대답해 버리는 재중이다.

"오빠 지금 정말 재수 없는 거 알지?"

연아도 이 말까지는 안 하려고 했다.

하지만 순간 오빠와 동생 사이를 떠나 여자로서 정말 재중이 그렇게 미워 보일 수가 없었다.

하지만 연아가 한껏 퉁명스럽게 쏘아붙였는데 재중은 전

혀 표정의 변화가 없다.

"그건 그쪽 마음이지. 싫으면 떠나면 되는 거니까 말이야."

"하! 정말 오빠!"

끝까지 재수없게 말하는 재중의 모습에 연아마저도 한숨을 쉬었다.

두 손을 들 수밖에 없었다.

도대체 왜 그토록 재중이 여자를 싫어하는지, 아니, 정확하게는 관심이 없는지 연아로서는 알 수가 없었다.

사실 재중이 여자가 아닌 남자를 좋아하는 건 아닐까 하는 의심도 해본 적이 있었다.

하지만 알아보니 그것도 아니었다.

해서 연아는 이번 기회에 재중이 여자와 가까워지기를 바라는 맘으로 이렇게 선상 파티를 핑계로 댔던 것이다.

캐롤라인과 천서영 둘 중에 한 명이라도 선택했으면 하는 바람으로 말이다.

하지만 정작 재중으로부터 돌아온 대답은 아예 무시였다.

연아로서도 이건 가족을 떠나 여자로서 짜증이 날 수밖에 없었다.

"오빠, 장가 안 갈 거야?"

"생각 없다."

"허얼!"

연아가 아예 대놓고 물어보자 재중은 당연하다는 듯 대답했다.

"그럼 난 어쩌라고?"

"넌 좋은 남자 만나서 결혼해. 조카는 귀여워해 줄게."

"……"

확실했다.

재중은 여자 남자를 떠나서 이성에 대한 관심 자체가 아예 없다는 것을 말이다.

억지로 싫은 척을 하는 것도 아니었다.

다른 건 몰라도 양녀로 자라다 보니 눈치 하나만은 정말 빠른 연아였다.

그런 그녀의 눈에도 재중이 정말 관심이 없는 것이 한눈에 보였으니 말이다.

"예쁜 여자를 보면 막 흥분되지 않아? 안고 싶지 않아? 확 덮쳐 버리고 싶지 않아?"

"넌 하나뿐인 오빠를 변태에 강간마로 만들 생각이니?"

질문의 수위가 도를 넘어가자 재중도 얼굴을 찌푸리면서 한마디 했다.

하지만 연아에게는 그게 문제가 아니었다.

"아니, 나이가 몇인데 여자를 보고도 무감각해? 에고, 내가 미치겠네, 정말."

세상에 겨우 단둘뿐인 가족이다.

연아는 재중이 찾아오기 전까지 혼자였다.

물론 양부모가 잘해주긴 했기에 크게 외로움을 느끼지는
않았다.

하지만 갑작스럽게 양부모마저 죽어버리자 표현하진 않았
지만 사무치는 외로움을 홀로 견디고 있었던 것이다.

그리고 그게 힘들어서 지쳐갈 무렵 찾아온 것이 바로 재중
이다.

사실 처음 재중이 연아에게 한국으로 넘어오라고 했을 때
한 번은 거절했던 연아다.

그러나 내심 가고 싶은 마음도 적지 않던 연아는 결국 재중
의 설득에 못 이기는 척 한국으로 넘어왔었다.

그것도 모두 외로움 때문이다.

연아는 한국에 와서 재중과 지내면서 자신과 재중이 결혼
해서 가족을 만들고 자식을 낳아서 사는 왁자지껄한 생활을
꿈꾸었다.

그런데 그런 연아의 꿈에 별안간 커다란 벽이 나타났으니
답답할 수밖에 없었다.

연아의 꿈에는 필수적으로 재중이 결혼을 해야만 한다는
커다란 조건이 있었다.

그런데 정작 재중 본인이 관심이 없으니 말이다.

"아기 보면 귀엽지 않아?"

"귀엽지."

"그렇지? 그럼 그런 아기들 보면 낳고 싶지 않아?"

"...별로."

순간적인 질문에 재중은 겨우 한 호흡 정도 숨을 고를 시간이었지만 대답하는 걸 망설였다.

그리고 그걸 알아챈 연아였다.

"오빠, 말해봐. 내가 다 이해해 줄게. 설사 오빠가 남자를 좋아한다고 해도 말이야. 가족이잖아. 안 그래? 난 다 이해할 준비가 되어 있어."

가족이라 그런 것일까? 아니면 같은 피를 이었기 때문일까?

그 누구보다 짧은 시간을 같이 있었지만 이상하게 재중에 대한 눈치 하나만큼은 테라보다 연아가 한 수 위였다.

그 짧은 순간에 재중이 자신에게 숨기는 것이 있다는 것을 단번에 알아차린 것을 보면 말이다.

"꼭 들어야겠니?"

재중은 사실 연아에게에만큼은 그냥 평범한 오빠이고 싶었다.

숨길 생각은 없었지만 물어보지 않는다면 그냥 그렇게 시간이 흐르는 대로 지낼 생각이었다.

하지만 지금 연아의 표정을 보니 이번에는 쉽지 않을 것 같았다.

재중이 대답을 예감하고 조용히 물어보자,

"난 오빠 동생이야. 괜찮으니까 말해봐."

아예 작정한 듯 오히려 어서 말하라고 보챈다.

똑바로 재중을 응시하는 연아의 모습에 재중도 포기할 수밖에 없었다.

자세하게 말해도 어차피 이해하지 못할 테니 핵심만 이야기하기로 한 재중이다.

"나… 아이를 낳지 못해."

"…응? 바, 방금… 뭐라고 했어, 오빠?"

전혀 예상해 본 적 없는 재중의 대답에 연아는 순간 머릿속이 멈춰 버린 듯했다.

동시에 자신이 꿈꿔오던 것이 부서지는 느낌을 받았다.

"나 아이를 가지지 못해. 뭐… 이해하기 쉽게 말하자면 나 고자야."

"……."

너무나 편안하고 아무렇지도 않게 자신이 고자라고 말하는 재중의 모습에 오히려 연아가 당황하기 시작했다.

"그게… 무슨 말이야? 오빠가… 고, 아니, 아이를 가지지 못한다니?"

"검사도 해봤어. 난 아이를 가지지 못한대."

"…정말로?"

검사까지 해봤다는 말에 연아가 뒤늦게 재중의 말을 받아들이는 듯했다.

재중이 크게 고개를 끄덕였다.

"어, 어떻게 안 거야?"

보통의 남자들은 자신이 아이를 낳지 못한다는 사실을 쉽게 알지 못하는 편이다.

일반적으로 결혼을 해서도 피임을 하지 않고 최소 1년에서 최대 3년까지 부부생활을 했을 때도 아이가 생기지 않는다면 그제야 병원을 찾는 것이 일반적이다.

그만큼 아무런 증상도 없으니 말이다.

오히려 결혼 전에는 아이가 생길까 봐 너무 철저히 피임을 해서 더욱 모르는 경우가 많았다.

그런데 재중은 검사까지 했다는 말에 연아가 의아함을 감추지 않고 물었다.

"피임을 하지 않고도 여자와 잤는데 아이가 안 생겼으니까."

"헉! 오빠… 여자랑 잔 적… 아니… 여자를 사귄 적 있어?"

물론 지구에서 여자를 사귄 적은 단 한 번도 없다.

아니, 사귈 여유조차 없다고 해야 할 만큼 힘들고 바쁘게 살았다.

하지만 대륙에서는 드래고니안의 발톱으로부터 인류를 구원한 영웅인 재중이다.

재중이 눈길만 주면 여자들이 먼저 옷을 벗고 침대 안으로 다이빙을 하는 상황이었다.

재중의 성격상 오는 여자 막지 않고 가는 여자 잡지 않았으니 당연히 남자로서 본능에 충실했다.

대륙은 피임이란 것도 모르는 수준이었기에 재중도 수백 명이 넘는 여자와 그렇게 피임을 하지 않고 잠자리를 했었다.

그런데 단 한 명도 임신한 적이 없었다.

뒤늦게 그것이 이상하게 느껴진 재중이 검사를 문의했고, 가장 믿을 만한 베르벤이 수차례 검사를 해보고 나서야 재중이 아이를 낳을 수 없는 몸이라는 것을 확인시켜 주었다.

지구의 의술로 검사하는 것보다 더욱 확실한 마법으로 검사한 것이었기에 결과를 그대로 받아들인 재중이다.

말로 하진 않았지만 드래곤의 피로 자신의 몸이 변했을 때 무언가 잃게 될 것이라고 재중도 은연중에 예상은 했다.

세상에 공짜는 없는 법이니 말이다.

물론 그 대가가 고자가 되는 것이라고 해도, 그 당시에도 지금도 재중은 전혀 후회 없었다.

그렇기에 지금 이처럼 아무렇지 않게 말할 수 있는 것이다.

"…미안해. 내가 그것도 모르고."

연아는 재중의 흔들림 없는 눈동자도 그렇지만 지금까지 재중의 성격상 자신의 추궁을 피하려고 이런 말도 안 되는 거짓말을 할 성격은 아니라는 것을 잘 알았다.

믿기 싫어도 믿을 수밖에 없었다.

"미안해할 것 없어."

재중은 당황스러워하는 표정으로 사과하는 연아의 머리를 쓰다듬으면서 입가에 미소를 지었다.

"난 안 되지만 넌 결혼해서 아이 낳고 잘살면 되잖아. 안 그래?"

"그야 그렇지만… 그게 중요한 게 아니잖아."

오히려 너무나 아무렇지 않는 재중의 모습에 연아는 눈물이 날 것 같은 표정을 짓더니 울먹이다가 멈칫거렸다.

"오빠, 혹시 나한테 카페도 그렇고 전에 커피 레시피도 넘겨주려고 했던 것이… 이런 이유 때문이었어?"

눈치가 빠른 것이 어쩔 때는 도움이 되지만 지금처럼 너무 앞서가는 경우도 있다.

굳이 말하자면 재중은 연아가 잘사는 모습을 지켜보면서 조용히 세상에서 흔적을 감춰 버릴 계획이었다.

그런데 어쩌다 보니 재중이 아이를 낳지 못하는 몸이기에 아이를 낳아서 계속 살아갈 연아에게 모든 것을 넘겨주려는 것처럼 되어버렸다.

"…응."

"오빠, 어떻게… 해. 미안해서. 흑흑흑."

재빨리 재중은 이 기회에 카페까지 넘겨 버릴 생각에 거짓말을 해버렸다.

하지만 연아는 이미 감정이 흔들린 상황이기에 그냥 믿어버렸다.

그런 것도 모르고 재중을 몰아붙인 것이 미안한지 계속 미안하다는 말을 반복한다.

"괜찮아. 그리고 네가 시집가서 잘살면 돼. 안 그래?"

"흑흑흑, 오빠……."

정말 정확하게 말하자면 동상이몽이다.

아이를 낳지는 못하지만 재중의 수명은 자신도 얼마나 오래 살지 짐작조차 못할 정도이니 말이다.

어쩌면 수명이 너무 길다 보니 자식을 낳지 못한다는 것에도 그렇게 무감각한 것일지도 몰랐다.

누가 말하기를 인간이 종족 번식에 그렇게 민감한 것도 모두 본능적으로 죽음이라는 것에 공포를 느낄 만큼 약한 존재이기 때문이라고 한 적이 있다.

하지만 재중은 이미 죽음을 곁에 두고 대륙에서 살았고, 그리고 강했다.

거기다 피의 각성으로 인해 비록 인간의 외형이지만 그의 몸은 드래곤이나 마찬가지이다.

수명 또한 그 누구도 알 수가 없었다.

그렇기에 재중이 이처럼 고자가 된 것에도 무감각한 것인지도 몰랐다.

이 세상에 자신과 닮은 존재를 남겨둬야 한다는 긴박감이 전혀 없으니 말이다.

동물원에 동물들이 새끼를 낳는 확률이 극히 낮은 것도 모두 삶의 치열함이 없기 때문이라는 연구 결과가 있었다.

재중이 자신이 고자라는 것에 무감각한 것도 어쩌면 당연할지도 몰랐다.

아무튼 뜻하지 않게 재중이 원하는 쪽으로 슬슬 분위기가 넘어간다고 생각이 들 무렵, 갑자기 연아가 뭔가 결심한 듯 재중에게 말했다.

"오빠, 그래도 결혼은 해야 해."

"응?"

다 자신의 뜻대로 분위기가 넘어오는 것 같더니 또 엉뚱한 소리를 한다.

또다시 결혼하라는 말에 재중이 한숨을 쉬면서 입을 열려고 하자 연아가 막았다.

"알아, 나도. 하지만 결혼은 해야 해. 아이야 입양하면 되잖아. 안 그래? 나를 봐. 나도 입양되어서 잘 컸어. 그리고 나를 입양한 양부모님이 사고로 돌아가시지만 않았으면 난 아마 아직도 알래스카에서 계속 살고 있을 거야."

"녀석, 고집하고는……."

재중도 연아가 이렇게까지 말하는데 당장 계속 거절하기가 어려울 수밖에 없었다.

연아가 다시 상처받을 것이 분명하기에 우선은 고개를 끄덕였다.

"하지만 결혼은 내가 결정하는 거야. 그리고 그전에 너나 시집가. 이미 노처녀니까 말이야."

"흥! 걱정하지 마셔. 나도 알아보니 한국도 요즘 서른 넘어서 결혼하는 여자가 많던데. 뭐, 아직 난 현역이니까."

어쩌다 보니 재중이 고자라는 사실을 밝히긴 했지만, 굳이 숨길 생각도 없던 것이라 재중으로서는 그다지 손해 본 것이 없었다.

오히려 그로 인해 지금처럼 노골적으로 결혼하라는 압박감은 사라질 것이 분명해 보였다.

결과적으로 재중은 잃은 것 없이 카페를 연아에게 넘길 수 있게 되었다.

유독 재중의 것을 받는 것을 미안해하면서 민감하게 거절해 온 연아지만 이제는 그러지 못할 테니 말이다.

"그럼 이번 파티는 내가 알아서 할게. 하지만 오빠도 파티에 참석은 해야 해. 알았지?"

연아는 혹시라도 재중이 선상 파티에 빠질까 봐 주의를 주고 방을 나간다.

재중은 피식 웃었다.

"뭐, 나야 귀찮은 카페를 연아에게 넘기고 다시 자유롭게 살면 되니 이득인 셈이지. 후후후훗."

―하지만 마스터, 파티에는 가셔야죠.

재중의 말에 맞장구를 치듯 테라의 목소리가 들렸다.

"파티야 가면 되지. 그보다 아공간에 정장이 있던가?"

재중이 작게 중얼거리자,

쑤욱~

재중의 그림자가 늘어나더니 검은 가지가 사방으로 뻗었다가 다시 제자리로 돌아왔다.

그리고 수십 벌의 정장이 재중의 눈앞에 놓여 있다.

그중에는 대륙에서 입던, 영화에서나 볼 것 같은 화려한 옷들도 간간이 있었다.

"이거면 되겠지?"

재중은 수십 벌의 정장 중에서 가장 가까운 곳에 있는 평범한 정장 한 벌을 집어 들었다.

재중이 몸을 돌리자,

슈우우욱!

기다렸다는 듯 다시 재중의 그림자가 가지를 뻗어 정장을 수거해 간다.

―마스터, 그건 정말 낡았어요.

테라의 불평 섞인 핀잔이 뒤를 잇는다.

"이게 편하단다. 그보다 정예지와 윤지율은 어떻게 됐지?"

악연에 악연으로 이어진 사이이다 보니 정태만의 아내와 딸을 마치 남 부르듯 하는 재중이다.

―아직은 조용해요. 하지만 분위기로 봐서는 조만간 뭔가 결정을 내릴 것 같긴 해요, 마스터.

"놓치지 마라. 혹시라도 내가 준 마지막 기회를 버린다면… 그녀들도 결국 세상에서 사라져야 할 테니까."

정태만이 인신매매를 해 번 돈으로 살아온 윤지율과 정예지이다.

본인들은 몰랐다고 해도 죄는 죄였다.

무엇보다 정태만이 팔아넘긴 여자들은 이미 대부분이 죽거나 마약에 찌들어 있었다.

대부분이 재중이 구해봐야 정상 생활이 불가능한 상태인 만큼 재중에게 용서란 존재할 수 없었다.

용서란 결국 당한 피해자들이 해야 하는 것이니 말이다.

─걱정 마세요. 삼합회 녀석들이 기웃거리는 것 같아서 윤지율과 정예지에게 새도우를 심어놨어요.

새도우라면 시우바 회장을 보호할 목적으로 준 적이 있는 것이다.

그들은 그림자에서 살아가는 존재였다.

정확하게 말하자면 정령에 가까운 존재지만 특이하게 숙주가 있어야만 살 수 있는 녀석들이다.

특수부대가 쳐들어와도 윤지율과 정예지는 안전할 수밖에 없었다.

총알도 다 막아버리는 새도우를 뚫고 그녀들을 죽일 수 있는 존재는 아마 없을 테니 말이다.

물론 그녀들을 보호하려는 목적이긴 하지만 시우바 회장에게 준 것과는 의미가 다르다.

재중이 아직까지는 그녀들의 죽음을 원하지 않기에 살려줬을 뿐이다.

─……!!

"……?"

그런데 걱정하지 말라던 말이 끝나기가 무섭게 갑자기 테라의 표정이 굳어졌다.

─마스터, 아무래도 제가 직접 가봐야 할 것 같아요.

"……??"

재중은 테라가 직접 가봐야 한다는 말에 표정이 굳어졌다.

테라가 그 집에 풀어놓은 페밀리어들부터 시작해 새도우까지 있는 이상 사실상 그녀가 직접 가야 할 일은 없다고 봐도 되었으니 말이다.

그런데 그런 상황에 테라가 직접 가봐야 한다는 것은 상황이 급변했다는 증거이다.

자연스럽게 재중의 표정도 굳어질 수밖에 없었다.

─윤지율과 정예지를 감시하고 있던 페밀리어와 연결이 끊겨 버렸어요, 마스터.

"끊겨?

─네. 의도적인지 아닌지는 모르지만 열 마리의 패밀리어 중에 벌써 다섯 마리와 링크가 끊긴 상태예요. 아무래도 제가 직접 가서 확인해 봐야 할 것 같아요.

테라의 패밀리어는 모두 비둘기나 까치였다.

그게 사람들의 이목을 피할 수 있을 만큼 가장 흔한 새였으니 말이다.

그 증거로 지금까지 패밀리어들은 자신의 임무를 훌륭하게 수행하고 있었다.

그런데 갑자기 패밀리어와 연결이 끊겼다고 한다.

그 말은 그녀의 마법 조정을 받던 까치나 비둘기가 죽어버렸다는 뜻과 같다.

"아니야. 넌 여기 있어."

—네?

테라는 재중이 신경 쓰는 윤지율의 집에 이상이 생겼다는 것에 급히 가려고 움직였다.

그런데 그런 테라를 재중이 막자 놀란 표정으로 쳐다봤다.

"내가 가봐야겠어."

—마스터께서 직접요?

"응. 오히려 그게 혹시라도 모를 변수가 생겼을 때 대처가 빠를 테니까."

—그야 그렇지만…….

테라는 재중이 자신을 막은 것이 어느 정도 이해가 되기도 했다.

그만큼 정태만에 관해서는 재중의 분노가 대단했으니 말이다.

—그런데 일찍 끝날지 어떨지 모르는데 괜찮으시겠어요? 곧 몇 시간 뒤 선상 파티에 가셔야 하잖아요.

패밀리어와 링크가 끊어져 버려서 그쪽이 어떤 상황인지 알 수 없었다.

물론 재중을 걱정하는 게 아니었다.

재중의 무력이면 걱정이 오히려 실례일 테니 말이다.

하지만 테라는 곧 있을 선상 파티에 연아를 비롯해 일행을 데리고 가야 하는 것이 마음에 걸렸다.

씨익~

재중은 기다렸다는 듯 입가에 미소를 가득 머금었다.

—왜 그러세요, 마스터?

순간 테라는 불길한 예감이 들었다.

그리고 그런 예감은 어째서인지 틀린 적이 없다.

"테라 네가 잠깐 나로 변신해서 여기에 있으면 되잖아. 안 그래?"

—설마… 저보고 선상 파티에 마스터의 모습으로 가라구요?

테라는 순간 재중이 선상 파티에 여자들을 모두 데리고 가는 것이 싫어서 윤지율의 집으로 가려고 하는 것이 아닌지 의심이 들었다.

그만큼 재중의 미소는 기쁨의 미소로 보였다.

그렇다고 테라가 거절할 수도 없었다.

재중은 그녀의 마스터였으니 마스터인 재중이 하라면 할 수밖에 없는 입장이다.

"너도 크루즈에서 휴가 좀 즐겨. 난 이런 것이 왠지 안 맞는 것 같다."

갑자기 모든 짐을 테라에게 떠넘긴 재중은 어둠 속으로 발걸음을 옮겨 버렸다.

홀로 남겨진 테라는 잠시 동안 멍하니 있다가 뒤늦게 깨달 았다.

—…마스터에게 당했구나.

과거 대륙에서도 자주 이런 식으로 재중을 대신해 테라가 변신해서 파티에 참석한 적이 많았었다.

다만 설마 친여동생과 처음 가는 파티조차 저렇게 가버릴 줄은 테라도 전혀 예상하지 못했을 뿐이다.

Chapter 09
남겨진 숙제들

"이거였나?"

재중은 크루즈에서 곧바로 공간을 넘어 윤지율의 집, 즉 과거 정태만이 살던 집이 내려다보이는 언덕에 모습을 드러냈다.

재중은 곧 멀지 않은 곳에서 피를 흘리며 죽어 있는 비둘기 한 마리를 발견했다.

"총인가?"

가까이 가서 살펴보니 테라와의 연결이 끊어진 것이 당연했다.

총알이 비둘기 몸을 뚫고 지나가 버렸다.

이런 상태로는 아무리 회복력이 대단한 패밀리어라도 즉사하는 것은 어쩔 수 없다.

패밀리어가 되면 그 동물은 무서울 만큼 회복력이 강해진다는 특징이 있다.

시전한 마법사의 수준이 높으면 높을수록, 그 마법사의 패밀리어는 쉽게 죽지 않는다.

하지만 지금 재중이 보고 있는 비둘기는 총알이 몸통을 통째로 뚫고 지나가 버렸다.

이래서는 회복력이 아무리 강해도 방법이 없어 보였으니 말이다.

"응?"

그런데 죽은 비둘기는 한 마리가 아니었다.

무려 일곱 마리가 몸에 바람구멍이 커다랗게 난 상태로 죽어 있다.

자세히 살펴보니 누군가 테라의 패밀리어를 의도적으로 골라 죽인 것은 아닌 듯했다.

다른 멀쩡한 비둘기도 죽어 있는 것을 보면 말이다.

그런데 그때 민감한 재중의 귀에 들리는 소리가 있었다.

탕!

화약으로 발사되는 총소리가 아닌 공기를 압축해서 쏘는

듯한 소리였다.

고개를 돌린 재중이 곧바로 소리가 난 곳으로 향했다.

도착해서 본 것은 30대로 보이는 남자가 커다란 사냥용 공기총을 하늘에 대고 쏘고 있는 장면이었다.

"미친놈인가?"

사냥용 공기총을 쏘는 남자를 보고 재중이 가장 먼저 한 생각이 바로 미친놈이었다.

이곳은 나름 재산이 있다고 자부하는 사람들이 사는 곳이다.

주변에 산과 언덕이 제법 있긴 하지만 엄연히 주택가였다.

그런데 그런 주택가에서 사냥용 공기총을 쏘다니? 정상적인 사람이라면 절대로 하지 않을 일이니 말이다.

거기다 사냥용 총에 달려 있는 스코프로 나름 정확하게 조준해서 쏘고 있었다.

그 모습을 보고 있으려니 아무리 세상사에 그다지 관심이 없는 재중이 봐도 정말 미친놈이 맞다는 생각이 저절로 들었다.

사실 저 미친놈이 뭔 짓을 하든 재중에게 상관은 없다.

문제라면 저 사냥용 공기총을 든 미친놈이 쏘고 있는 비둘기 중에 테라가 마법을 걸어서 만든 패밀리어가 섞여 있다는 것이다.

이미 여섯 마리가 연결이 끊긴 상태다.

이대로 두면 저 미친놈의 손에 이 동네 비둘기나 까치가 모두 죽어나갈 상황인 것이다.

"별수 없지."

재중은 뭔가 큰일이 일어난 줄 알고 왔는데 그저 미친놈이 총질을 할 뿐인 것이다.

별 볼 일 없는 상황에 재중이 실망하면서 움직이려는 순간,

타탁!

미친놈이 무언가에 쫓기듯 옆에 있는 검은색 차에 올라타더니 빠르게 사라지는 것이 아닌가?

그리고 뒤이어 지구대에서 출동했는지 경찰차가 멀리서 빠르게 다가오더니 미친놈이 사라진 곳을 지나 냅다 달리고 있다.

"쩝."

재중이 어쩔 새도 없이 자연스럽게 상황이 정리되어 버렸다.

재중이 천천히 걸어서 미친놈이 총을 쏴대던 곳으로 다가가 봤다.

바닥에 작은 공기총용 5mm 총알이 흩어져 있다.

그리고 그 흔적은 미친놈이 도망갈 때 탔던 검은색 차가 있던 곳까지 이어져 있었다.

"…총알이 너무 작은데?"

재중은 흘리고 간 공기총 총알을 집어 들고는 정말 작은 크기에 잠시 고개를 갸웃거렸다.

비둘기의 몸에 난 상처를 보고 제법 큰 총알이라고 생각했다.

재중이 이때까지 사냥용 공기총에도 총구에 강선이 있다는 것을 몰랐기에 드는 의문이다.

물론 일반적인 사냥용 총이라고 할 수 없을 만큼 개조를 한 듯했다.

비둘기에 난 구멍은 일반 군에서 쓰는 살상용 총알에 맞았다고 착각할 만큼 컸으니 말이다.

물론 한국은 총기 소지가 불법이다.

하지만 라이센스만 있으면 사냥용 공기총이나 엽총 정도는 얼마든지 합법적으로 구할 수 있는 나라가 바로 한국이기도 했다.

특히나 사냥용 공기총은 그 구조가 단순했기에 개조가 쉽다는 것이 특징이었다.

테라의 패밀리어를 죽인 녀석도 사냥용 공기총을 개조하여 시험해 보기 위해 쏴댔을지도 모른다.

주택가에서 쏘는 미친 짓을 했다는 게 좀 문제이긴 하지만 말이다.

테라도 설마 주택가에서 비둘기에게 총질하는 놈이 있을 줄은 전혀 예상하지 못했으니 불가항력이다.

"응?"

그런데 문득 주변을 둘러보던 재중은 사위가 너무나 조용하다는 느낌이 들었다.

담벼락이 워낙에 높은 돈 많은 동네다.

그런 만큼 큰 집도 많은데 어찌 된 것이 사람의 인기척이 거의 느껴지지 않았다.

하지만 그런 것은 재중의 안중에 없었다.

다만 당연히 있어야 하는 것이 없기 때문에 주변이 너무 조용하다고 느낀 것이다.

"철수한 건가?"

재중은 테라에게서 윤지율과 정예지 집 주변에 경찰이 잠복해서 혹시나 정태만이 돌아올 것을 기다리고 있다는 말을 들었었다.

당연히 이 주변에 잠복 중인 경찰이 있어야 했다.

하지만 정작 와보니 경찰은커녕 주택가에 인기척조차 찾기 힘든 상황인 것이다.

재중이 할 수 있는 생각은 오직 한 가지였다.

"정태만의 사건을 종결하려는 건가?"

재중은 생각보다 검찰이나 경찰이 빨리 철수했다는 사실

에 표정이 굳어졌다.

이어 재중은 정태만이 살던 집, 지금은 윤지율이 사는 곳을 향해 발걸음을 옮기기 시작했다.

"역시……."

목적지가 그리 멀지 않은 곳에 있기에 금방 도착할 수 있었다.

윤지율의 집 앞에는 수많은 낙서와 사람이 다녀간 흔적이 있었다.

하지만 그것뿐이다.

지금은 집 안에서 느껴지는 기척 몇 개를 빼면 주변에 사람이 아예 살지 않는다는 착각이 들 만큼 조용했다.

재중은 한숨을 쉴 수밖에 없었다.

"무엇 때문에… 이렇게 빨리 정태만의 사건을 종결하려는 걸까."

재중이 워낙에 화려하게 강남을 휘저어놓았으니 최소한 몇 달은 정태만으로 인해 시끄러울 것으로 예상했었다.

그런데 예상과 달리 불과 며칠 만에 사건이 조용해져 버린 것이다.

"테라."

─네, 마스터.

"윤지율의 집 근처에 있어야 할 잠복 경찰이 지금은 왜 없는 거지?"

재중이 나직이 혼잣말처럼 중얼거렸다.

—네? 없어요?

테라도 모르고 있었던 듯 놀란 목소리다.

"너도 몰랐나?"

—네. 어제까지만 해도 잠복 경찰 두 명이 회색 차를 조금 떨어진 곳에 대고 있는 것을 패밀리어로 확인했거든요.

"그래? 그럼 철수한 것이 오늘부터라는 말인데……."

—마스터, 당장 갈게요!

자신이 하던 일이 어긋나고 있다는 것이 못내 못마땅한지 테라는 바로 오려고 했다.

하지만 테라를 재중이 막았다.

"거기서 크루즈나 즐기고 있어."

—마스터, 이건 즐기는 게 아니잖아요?

자신을 대신해서 여자들을 상대하고 있는 테라가 오는 것을 재중이 끝까지 막았다.

테라가 심통이 난 듯 뾰족하게 말했지만, 재중에겐 씨알도 먹히지 않았다.

"연아를 보호하는 것도 중요한 임무니까 곁에 있어라."

—…네.

다른 것은 어떻게 애교나 고집을 부릴 수 있다.

하지만 재중이 명령식으로 말하면, 꼼짝없이 따를 수밖에 없는 테라였다.

가디언으로 태어난 이상 그 무엇보다 마스터의 명령이 최우선인 것은 절대로 벗어날 수 없는 운명이니 말이다.

그렇게 가볍게 테라를 처리하고 난 뒤, 재중은 잠시 고민하다가 주머니에서 스마트폰을 꺼냈다.

지금까지는 외국이었기에 그다지 사용할 일이 없었다.

하지만 한국으로 돌아온 이상 가장 손쉽게 한국에서 큰 이슈가 되는 것을 찾을 수 있는 방법이 바로 스마트폰이니 말이다.

"역시……."

스마트폰을 켠 지 불과 1분도 되지 않았지만, 재중은 어째서 정태만의 사건이 이처럼 빠르게 종결되었는지 바로 이해할 수 있었다.

"지방선거라……."

정태만의 사건이 이처럼 빠르게 묻힌 것은 어쩌면 당연했다.

전국적으로 실시되는 지방선거 유세가 바로 오늘부터 시작되었으니 말이다.

사실 처음 정태만의 사건이 터졌을 때는 검찰도 열심히 조사를 했다.

그런데 어찌 된 일이 조사 중 정태만과 관련이 있는 사람들의 이름이 하나씩 밝혀지면서 난감해진 것은 바로 검찰이 되었다.

전 검찰청장까지 정태만과 관련이 있는 것으로 나와 버린 것이다.

결국 검찰에서는 어떻게든 정태만의 사건을 조용히 덮어야 된다는 고민에 빠질 수밖에 없었다.

그리고 그런 검찰의 마음을 알기라도 한 듯이 때마침 정태만이 검찰에서 사라져 버렸다.

질책은 있겠지만 그들에게는 오히려 잘된 일이기도 했다.

강남 빌딩이 사라지는 사건이 큰 이슈가 되긴 했다.

하지만 이대로 정태만을 파고들면 검찰도 위험하다는 판단을 한 것이다.

결국 기회를 노리고 있던 검찰은 지방선거가 시작되자 조용히 모든 병력을 철수시켜 버렸다.

"후후훗, 참 좋은 나라야."

한국 사람으로 태어난 재중이지만, 헛웃음만 나오는 상황에 그저 웃을 뿐이다.

하지만 허탈한 웃음도 잠시, 재중의 눈동자가 날카롭게 번뜩였다.

"그럼 이제 삼합회에서 움직이기 딱 좋은 상황이 되었구먼

그래."

그동안 공권력 때문에 삼합회에서도 기다리고 있던 참이다.

그런데 이젠 윤지율과 정예지를 보호하던 공권력이 사라졌으니 그들도 거리낄 것이 없어진 셈이다.

"후후훗, 만약 정말 머리가 좋은 놈이라면 아마 오늘을 노렸겠지."

재중은 대륙에서 암살자들인 어쌔신들도 지겹도록 상대했던 경험이 있다.

때문에 언제가 습격하기 좋은지 누구보다 잘 알고 있었다.

대륙의 모든 인류와 종족이 멸종 직전까지 몰린 상황에도 박쥐같이 드래고니안의 편에 붙어서 그들의 편의를 봐주거나 정보를 팔아먹는 놈들이 있었다.

그것을 생각하면 참 인간이라는 동물은 정말 대단하다는 생각이 들었다.

그리고 당연히 그들에게 가장 최대의 적은 바로 재중이었다.

상황이 그러다 보니 처음에는 드래고니안만 상대하던 재중이 어째 시간이 갈수록 드래고니안보다 어쌔신을 상대하는 일이 많아졌었다.

덕분에 재중은 대륙에서 남아 있는 어쌔신 길드란 길드는 모조리 직접 부숴 버리기까지 했다.

"어디 기다려 볼까?"

대륙에서조차 역사적인 기록이 남을 만큼 어쌔신들의 방문을 많이 받은 재중이었다.

그렇기에 알 수 있는 것이다.

가장 습격하기 좋은 시간과 때를 말이다.

평범한 사람들이 보기에는 이해가 가지 않겠지만, 재중은 상황을 파악하자마자 바로 알아챘다.

지금이 가장 습격하기 좋은 때라는 것을 말이다.

그동안 빚쟁이들에게 시달리고, 경찰의 방문을 받고, 거기다 밖에 잠복한 경찰들이 지키고 있는 상황이 이어졌다.

여태껏 평범하게 살아오던 윤지율과 정예지는 엄청난 스트레스를 받았을 것이 뻔했다.

누군가가 자신을 지켜보고 있다는 것만큼 스트레스를 받는 일도 없으니 말이다.

한때 사무실 책상 위의 머리까지 가리는 칸막이를 모두 철수한 회사가 있었다.

그러다 보니 당연히 그곳의 책임자는 그냥 고개만 들면 누가 일하는지 아니면 놀고 있는지 모두 한눈에 볼 수 있었다.

그런데 직원들이 딴짓을 하지 않으면 오를 것이라 생각하던 일의 능률이 오히려 떨어지고 시간이 지날수록 윗사람이 지켜보고 있다는 스트레스로 퇴사하는 직원이 속출했다는 것이다.

겨우 칸막이 하나 치웠을 뿐인데도 이 정도로 스트레스를 받는 것이 인간이다.

그런데 밖에서 경찰이 잠복해 일분일초를 감시하고 있다면 어떨까?

아마 스트레스로 인해 자살하고 싶은 마음이 하루에도 수십 번은 들 것이 분명했다.

말로는 정태만을 기다리면서 남아 있는 윤지율과 정예지를 빚쟁이들로부터 지키기 위해서라고 했다.

하지만 그 속내를 보면 검찰 입장에서는 윤지율과 정예지도 정태만처럼 사라져 버리면 난감해지는 것은 자신들이기에 감시하고 있었던 것이다.

그것을 모를 리가 없으니 윤지율과 정예지는 스트레스로 극도로 민감해져 있을 것이 분명했다.

하지만 그런 경찰의 감시가 갑자기 사라진다면 어떨까?

어쩌면 불안하다고 생각할지도 모르지만 그런 불안감은 잠시일 뿐이다.

곧 더 이상 자신을 감시하는 눈길이 없다는 것에 해방감을 느끼게 될 것이다.

그리고 한순간에 그동안의 스트레스로 인한 피로가 몰려

오면서 가장 무방비 상태로 변할 수밖에 없다.

재중 자신이 그랬으니 누구보다 잘 알고 있다.

그렇기에 재중은 기다리는 것이다.

삼합회가 과연 얼마나 똑똑한 녀석들인지 기대하면서 말이다.

$$* \qquad * \qquad *$$

어차피 테라가 다시 패밀리어를 만든다고 해도 하루 정도의 시간은 걸린다.

재중은 겸사겸사 오늘은 직접 본인이 윤지율과 정예지를 감시할 생각으로 적당한 곳을 찾았다.

그런데 몇 걸음이나 옮겼을까?

부르릉!

"……?"

요란한 엔진 소리가 들리더니 검은 차 한 대가 재중의 곁을 빠르게 스치고 지나갔다.

"또 오다니, 나 참."

그런데 그 검은 차는 조금 전 사냥용 공기총으로 비둘기를 쏴대던 그 미친놈이 아닌가?

미친놈은 경찰을 따돌리고 다시 돌아온 듯했다.

유유히 재중을 지나치더니 조금 전 자신이 공기총을 쏴대던 곳으로 다시 가려는 듯 방향을 틀어 골목으로 사라진다.

그 모습을 본 재중은 별수 없이 그 녀석이 사라진 곳을 향해 발걸음을 돌릴 수밖에 없었다.

그대로 도망쳐서 오지 않았다면 재중의 관심에서 벗어났을 것이다.

하지만 다시 돌아온 이상 여섯 마리나 죽인 패밀리어의 대가는 받아야 했했다.

거기다 놈을 그냥 두면 남은 네 마리의 패밀리어도 언제 죽을지 모르기 때문이다.

"……?"

그런데 정작 녀석이 멈춘 곳은 조금 전 총을 쏴대던 곳에서 제법 떨어진 곳이었다.

아니, 슬쩍 보니 윤지율과 정예지가 있는 저택과 가까운 곳에 차를 세우더니 내려서 다시 주변을 살핀다.

그 모습에 재중은 얼른 골목의 어둠 속으로 몸을 옮겼다.

스르륵.

그저 골목의 그림자 속으로 걸어갔을 뿐이지만 놀랍게도 재중의 몸이 그림자에 녹아들더니 곧 사라져 버렸다.

정말 간발의 차이였다.

재중이 그림자로 사라진 직후, 그 미친놈이 방금 전까지 재중이 있던 곳으로 왔다.

미친놈은 꼼꼼하게 주변을 살피더니 품에서 노란 종이를 꺼냈다.

'종이에서 마나의 향기가 느껴지다니. 뭐지?'

재중은 그림자의 어둠 속에 잠시 몸을 동화시켰을 뿐 여전히 그 자리에 있었다.

그러다 보니 지금 녀석이 하는 행동을 모두 그대로 지켜볼 수 있었다.

하지만 정작 녀석은 재중이 옆에 있다는 사실조차 전혀 모르고 있다.

녀석이 품에서 꺼낸 노란 종이에는 붉은색으로 무언가 쓰여 있었는데 재중은 순간 떠오르는 것이 있었다.

'부적?'

노란색의 종이에 붉은색으로 글자라고 하기에도 애매하고 그렇다고 그림도 아닌 이상한 것이 요란하게 그려져 있었다.

그것을 보는 순간 바로 떠오르는 것이 바로 부적이었다.

그저 무당들이 액막이한다고 사람들 홀려서 팔아먹는 것으로 생각하던 부적이었다.

녀석이 꺼낸 것이 부적이라는 것도 이상한데 놈이 그 부적을 양손으로 잡더니 미련 없이 부적을 힘껏 찢어버리는 게 아닌가?

하지만 정말 놀라운 것은 그때부터였다.

녀석이 부적을 찢자 부적에 머물러 있던 마나가 순간 폭발하듯 사방으로 퍼졌다.

그러자 재중의 감각에도 움직이는 것이 또렷이 느껴질 만큼 주변의 마나가 술렁이기 시작한 것이다.

철컥!

그리고 미친놈이 다시 등에 메고 있던 사냥용 공기총을 꺼내더니 하늘을 향해 겨누기 시작했다.

놈이 노린 것은 비둘기였다.

그것도 윤지율과 정예지를 감시하기 위해 집 가까이 전신주 위에 앉아 있는, 테라가 만든 패밀리어 말이다.

'계획적이었군.'

녀석이 부적을 찢는 것을 재중이 직접 보지 못했다면, 또한 부적이 찢어지면서 주변의 마나가 술렁이는 것을 느끼지 못했다면 아마 그저 미친놈이 비둘기를 재미로 쏴 죽이는 것쯤으로 생각했을 것이다.

물론 놈은 정확하게 테라의 패밀리어를 골라서 노리지는 못했다.

하지만 테라의 패밀리어 주변에 있는 비둘기를 모두 죽이는 것을 확인하고서는 재중은 입가에 미소를 그리기 시작했다.

'생각보다 행동이 빨라. 그리고 저 부적은 뭐지? 어떻게 테라의 패밀리어를 감지할 수 있는 거지?

딱 봐도 삼합회 녀석들이 분명했다.

지금 상황에 윤지율이나 정예지를 이렇게 노릴 녀석들은 삼합회뿐이었으니 말이다.

그런데 정작 재중의 호기심을 자극한 것은 녀석들이 예상대로 빠르게 움직였다는 것이 아니었다.

재중이 관심을 가진 것은 녀석이 품에서 꺼낸 노란색 종이, 즉 부적이었다.

마나를 품은 종이라는 것도 특이했지만, 테라의 패밀리어의 존재를 감지할 수 있다는 것이 재중의 호기심을 더욱 자극했다.

이미 삼합회에서 오늘 윤지율의 집에서 공권력이 철수한다는 것을 미리 알고 있지 않았다면 절대로 하지 않았을 준비였으니 말이다.

준비한 것 같은 삼합회의 움직임에 재중은 어쩔 수 없이 다시 한 번 테라의 말을 인정할 수밖에 없었다.

세력이 전혀 없다 보니 이런 소소한 것도 재중이나 테라가 직접 움직일 수밖에 없는 자신들의 한계를 말이다.

물론 재중 본인이 직접 움직이기에 알아낼 수 있는 사실도 있긴 하다.

하지만 크루즈에 테라가 묶여 버리는 상황까지는 어쩔 수 없었으니 말이다.

굳이 세력까지는 아니라도 재중은 테라와 흑기병 외에 자신의 손발이 되어줄 존재가 필요하다는 것을 이번에 느끼게 되었다.

그것만으로도 테라에게는 행운일지도 몰랐다.

탕!

공기가 터지는 소리와 함께 마지막까지 윤지율의 집을 감시하던 패밀리어가 죽어버렸다.

놈은 주변에 다른 비둘기가 많이 있는데도 미련없이 사냥용 공기총을 차 안으로 집어넣고는 차에 올라타 출발했다.

그때, 재중이 서 있던 곳의 그림자가 쭈욱 늘어나더니 녀석의 자동차와 잠시 연결되었다.

뒤이어 자동차 바닥의 그림자가 잠시 출렁이듯 흔들리다가 잠잠해졌다.

마치 아무 일 없었다는 듯 말이다.

부르릉!!

자동차가 떠나고 난 뒤, 골목의 그림자에서 재중이 다시 모습을 드러냈다.

"뭐, 흑기병이 잘 하겠지?"

테라가 연아의 곁에 있기에 재중은 대신 흑기병을 불러들였다.

방금 재중은 자동자의 그림자 속으로 흑기병을 딸려 보낸 것이다.

Chapter 10
애증

재중귀환록

테라가 연아의 곁에 있기에 안전에는 문제없다고 판단한
재중이다.

재중은 그림자 속에 몸을 숨기고 있을 때 미리 흑기병을 불
러놓았다가 녀석이 떠날 때 딸려 보냈다.

녀석들이 움직이고 있다는 것을 미리 안 이상 편하게 기다
릴 수 있으니 말이다.

하지만 재중은 곧장 자리를 뜨지 않았다.

재중은 녀석이 찢어버린 노란 종이를 집어 들어 살펴보았
다.

"마치 마법 스크롤 같은걸."

일단 외형적으로는 노란색 바탕의 종이에 붉은색 글씨가 쓰인 것이 흔히 볼 수 있는 부적을 닮아 있었다.

하지만 종이가 마나를 머금고 있다는 것, 그리고 찢는 것으로 마나가 활성화된다는 것이 대륙의 마법 스크롤과 너무나 비슷했다.

지구의 부적이 대륙에서 보던 마법 스크롤과 너무도 닮아 있다는 것은 그냥 지나치기에는 수상한 일이었다.

재중은 그저 길가에 버려진 쓰레기로 보일 수도 있는 찢어진 부적을 수거했다.

치지익!

그런데 재중이 종이를 집어 든 지 몇 초가 지났을까?

갑자기 부적 조각이 스파크를 일으키면서 저절로 불이 붙더니 한순간에 재가 되어 사라져 버렸다.

"실수했군. 마법 스크롤과 비슷한 원리라면 프로텍터도 당연히 있다는 것을 생각했어야 하는데."

지구는 마법이 없는 곳이라는 선입관을 가졌기 때문이었을까?

재중 스스로가 부적이 대륙의 마법 스크롤과 비슷하다는 것을 인정했으면서도 생각 없이 집어 들었던 것이다.

마법 스크롤은 특수한 방법과 마법진을 이용한 방식으로

마법을 종이나 가죽에 새겨서 한 번이지만 평범한 사람도 마법을 사용할 수 있게 해주는 고마운 것이었다.

하지만 아무래도 평범한 종이나 가죽에 마나를 집어넣어 마법을 발휘하는 것으로 만들기 위해서는 필수적으로 마법사의 능력과 수준이 높아야 했다.

마법 스크롤은 대부분 찢는 것으로 발동되고, 사용하고 나면 마나가 사라져 더 이상 쓸모없는 쓰레기가 되었다.

하지만 마나가 사라져 더 이상 마법 스크롤로서의 쓸모가 없을 뿐이다.

스크롤을 만들기 위해 종이에 쓴 마법진과 여러 가지 마법 술식 등은 고스란히 남아 있었다.

그렇기에 마법사들에게는 아무리 사용하고 난 뒤 쓰레기가 된 스크롤이라도 엄청난 가치가 있을 수밖에 없었다.

하지만 마법사에게는 자신이 가지고 있는 마법적 지식이야말로 자신의 가치와 존재를 증명하는 유일한 방법이었다.

그러다 보니 자기 것을 남과 교류하는 것 자체를 금지하는 경우가 대부분이었다.

심한 경우는 자신의 수제자조차 믿지 못해서 나중에 자신의 핵심을 그대로 무덤까지 가지고 가는 경우도 제법 많았다.

이런 상황에 비록 마법 스크롤을 만들어서 비싸게 판다고는 해도 과연 그들이 생각 없이 그냥 마법 스크롤을 팔 수 있을까?

그건 있을 수 없는 일이었다.

그래서 마법사들이 생각해 낸 것이 바로 마법 스크롤의 안전장치였다.

프로텍터라는 조금은 특이한 마법인데, 프로텍터 마법의 용도는 오직 하나였다.

처음 스크롤을 찢은 사람이 아니거나 마나를 가진 자가 찢어진 스크롤 조각을 만지는 순간 불타서 사라져 버리는 것이다.

지독하게 이기적인 생각에서 나온 마법이 아닐 수 없다.

하지만 마법사들의 몸값을 좌우하는 것은 그들 머릿속에 들어 있는 마법적 지식이었다.

그러니 어쩌면 마법사들에게는 당연한 선택일 수도 있었다.

아무튼 재중은 설마 부적에까지 프로텍터 마법이 걸려 있을 것이라고는 전혀 생각하지 못했다.

부적이 재가 되어 사라져 버린 뒤에야 재중은 아까운 듯 입맛을 다셨다.

하지만 오히려 그 때문에 알게 된 것도 있었다.

"누구지, 지구의 것과 대륙의 마법 지식을 함께 사용하는 녀석이?"

테라는 대륙의 마법과 지구의 것이 합쳐진 새로운 것이 많이 있을 것이라고 추측했다.

오룡의 뇌를 녹여 버린 고독에서도 옛날에 전해지던 고독을 만드는 방법에 대륙의 마법이 섞여 있는 느낌을 받았었다.

그런데 지금 재중이 직접 눈으로 확인한 부적은 외형적인 부분만 지구에서 흔히 보는 부적일 뿐이었다.

실제 핵심적인 것은 모두 대륙의 마법 스크롤과 똑같았다.

"베르벤이 가지고 있던 스크롤 석 장은 처음에 그녀가 지구로 넘어올 때 한 장, 그리고 나를 데리고 대륙으로 넘어갈 때 한 장, 마지막으로 내가 다시 지구로 넘어올 때 써버렸으니 차원이동 스크롤은 더 없을 텐데……."

만약에 재중이 아니라면 그 누구도 부적과 고독의 존재를 알아차리지 못했을 것이다.

그만큼 교묘하게 대륙의 마법이 지구의 것에 녹아들어 있었다.

하지만 재중에게는 드래곤의 마도서인 테라가 곁에 있었다.

더구나 대륙에서도 대부분을 마법사와 지낸 재중에게는 그저 눈속임에 불과했다.

"음……."

본래는 적당한 곳에 숨어서 삼합회에서 윤지율과 정예지

가 있는 집안으로 침입하는 것을 기다리려고 했다.

하지만 삼합회는 재중의 예상을 훨씬 벗어나 있었다.

경찰이 철수하는 것까지 미리 알고 있고 테라의 패밀리어까지 처리하는 치밀함까지 보인 것이다.

의외지만 결과적으로 재중은 할 일이 없어져 버렸다.

흑기병이 따라갔으니 그저 재중이 할 일은 기다리는 것뿐이었다.

그런데 좀 갑작스럽다고 해야 할까?

해야 할 일이 갑자기 사라져 버리자 재중은 순간적으로 자신이 무언가 할 일이 없다는 상황에 머릿속이 비어버렸다. 특별히 할 일이 아무것도 떠오르지 않았다.

그렇다고 이제 와서 크루즈로 돌아가 봐야 소용없었다.

오히려 파티에 붙잡혀서 다시 이곳으로 오지 못하는 사태가 발생할 수 있으니 바로 제외했다.

하지만 마냥 이곳에서 기다리기에도 뭔가 이상한 모습이다.

"…별수 없지."

딱히 멀리 가지도 못할 거라면 차라리 가장 가까운 곳에서 기다리는 것도 한 가지 방법이다.

재중이 발걸음을 돌린 곳은 과거 정태만이 살던 집, 현재는 윤지율과 정예지가 살고 있는 집이었다.

　　　　　*　　　*　　　*

　"엄마."

　젊을 적에는 남자 여럿 울렸을 법한 미모를 아직도 간직하고 있는 윤지율은 홀로 소파에 앉아서 커피를 마시고 있었다.

　방문을 열고 나오다 그 모습을 본 정예지의 표정이 바로 어두워졌다.

　"엄마, 커피 그만 마시고 이제 밥 좀 먹자. 응? 이러다 무슨일 나겠어."

　"괜찮아."

　정예지의 말에 윤지율은 괜찮다고 했지만, 이미 피부가 푸석푸석하고 건조하다 못해 곧 부서질 것처럼 많이 상해 있었다.

　거기다 눈 밑에 다크서클이 가득 내려앉은 모습은 금방이라도 쓰러지면 다시 일어설 수 있을까 싶을 정도로 심한 상태였다.

　이미 며칠 동안의 극심한 스트레스로 인해 머리에는 500원짜리 크기의 원형탈모가 생겼을 정도이다.

　거기다 정태만이 검찰에서 사라진 다음 날, 갑자기 거실에놓여 있던 자료를 본 후부터 윤지율은 커피 외에는 그 무엇도

먹지 못하는 상태가 되어버렸다.

그러자 정작 힘들어진 것은 그녀의 딸인 정예지였다.

"이게 괜찮은 사람 얼굴이야? 그거 거짓말일 거야. 응? 그러니까 그걸 검찰한테 주고 기다려 보자. 응, 엄마?"

외동딸이다 보니 정태만이 곱게만 키운 탓에 정예지가 재중이 준 자료를 보고 받은 충격은 엄청났다.

하지만 워낙에 상상하지도 못한 내용이라 정예지는 반신반의하고 있었다.

그러나 윤지율은 그게 아니었다.

깊이 관여하지는 않았지만 정태만이 가족들에게 말하지 않고 기획사를 몇 개 운영하고 있다는 것은 부부로 살아오면서 이미 눈치로 알고 있었다.

다만 정태만이 운영하는 기획사에서 연습생이 자꾸 도망치는 일이 연속으로 벌어지고 있다는 사실에 따로 말은 하지 않았었다.

하지만 연습생들이 키워준 은혜도 모르고 도망치는데도 정태만이 그들에게 실망하지 않고 고아를 계속 연습생으로 받아서 가수로 키우려는 모습에 윤지율은 나름 감동하고 있었다.

그런데 재중이 준 자료를 보면 그 모든 것이 정태만의 가면이라고 한다.

실제로는 연습생을 중국에 팔아왔다고 하니 받은 충격이 오죽하겠는가?

처음에는 윤지율도 아닐 것이라고 생각했었다.

하지만 그녀 스스로 그나마 남아 있는 인맥을 동원해서 정태만이 운영하던, 지금도 몰래 운영하고 있는 기획사 연습생으로 있던 아이들의 인적부를 가져와서 재중이 준 자료와 비교해 보았다.

그 결과 완전 똑같다는 것을 알고는 믿을 수밖에 없었다.

그리고 그때부터였다.

윤지율은 무엇을 먹더라도 토해 버리고, 물만 먹어도 토하게 된 것이다.

그나마 커피만 목구멍을 타고 넘어가는 상황이라 먹고는 있었다.

하지만 벌써 며칠째 커피만 먹고 있는 윤지율의 몸 상태가 좋을 리가 없었다.

동안을 자랑하던 피부는 이미 엉망이 되어버렸다.

눈동자에는 힘이 풀려서 멍하니 천장만 바라보는 일이 거의 대부분이다.

문제는 그걸 옆에서 지켜보는 정예지는 가슴이 찢어지는 고통을 느껴야만 한다는 점이다.

자신의 울타리라고 느끼던 정태만, 자신들의 모든 것을 막아주던 아버지인 정태만이었다.

그런 그가 사실은 고아를 데려와 훈련시켜서 비싸게 중국에 팔아먹고, 그 돈으로 자신을 키웠다고 한다.

어디 누구에게 하소연할 수도 없는 충격적인 일이었으니 말이다.

어느 날 갑자기 아버지가 사라진 것만 해도 큰일이다.

그런데 그 사라진 아버지가 사람을 사고파는 천하의 죽일 놈이라는 것을 알게 되었다면 어떻겠는가?

거기다 정예지는 모르지만 윤지율은 자신과 결혼한 초기에 정태만이 가지고 있던 재산이 사실은 선우재중과 선우연아를 버리고 빼앗은 유산이라는 것까지 알게 된 상황이었다.

그나마 윤지율이 자살하지 않고 살아 있는 것이 천만다행이라고 할 수 있는 상태였다.

"……."

모든 것을 잃어버린 슬픔을 넘어 그 잃어버린 것이 모두 거짓이고 타인의 목숨으로 이뤄진 것을 알게 된 상황이다.

윤지율이 정신적인 공황상태에까지 이른 것은 당연했다.

"엄마, 오늘부터 바깥에 경찰들이 보이지 않아. 아무래도 철수한 것 같아."

두꺼운 커튼을 살짝 들어 창밖을 보는 게 거의 하루 일과 중 하나일 만큼, 정예지는 습관적으로 밖을 살폈다.

갑작스럽게 몰려든 빚쟁이들이야 그렇다 쳐도 24시간 감시하는 경찰들 때문에 마음 놓고 창문 한번 열지 못해 답답해하던 참이다.

그래서 오늘도 아침부터 밖을 살펴보았는데 어찌 된 일인지 어제까지만 해도 보이던 잠복 형사들의 차가 전혀 보이지 않았다.

혹시나 해서 다른 쪽도 보고 기다렸다가 다시 보고 했지만 정말 철수한 듯했다.

가끔 순찰 도는 경찰차 외에는 보이지 않았다.

드디어 감시에서 벗어났다는 생각에 정예지의 표정이 조금은 밝아졌다.

"예지야."

"응?"

"선우재중이라는 사람을 찾아야겠다."

"응?"

정예지는 갑자기 윤지율의 입에서 나온 이름을 듣고는 온몸의 행동이 멈춰 버렸다.

이름도 처음 듣는 사람, 하지만 아버지의 친척이라고 했다.

경찰이 처음 왔을 때 선우재중의 외삼촌이 정태만이라고 했으니 맞을 것이다.

하지만 윤지율이나 정예지나 살면서 지금까지 정태만의

입에서 친척이 있다는 말을 들어본 적이 없기에 어색하기만
했다.

그래서인지 윤지율이 힘겹게 선우재중을 찾자고 하자 당
황한 정예지는 쉽게 입을 열지 못하고서 그저 윤지율을 쳐다
보고만 있을 뿐이다.

"찾아가서… 빌어야지."

"엄마, 그게 무슨 말이야? 빌자니?"

정예지는 아직 어려서 그런지 누군가를 찾아가서 빌자는
윤지율의 말에 곧바로 거부감을 드러내면서 목소리가 뾰족해
졌다.

하지만 윤지율은 오히려 차분한 목소리로 말했다.

"우리가 모르고 있었다고 해도… 그이가… 선우재중 그 아
이의 유산을 가로채서 살았다는 사실은 변하지 않으니까 말
이야."

"왜?! 어째서 우리가 사과해야 되는데?! 아빠가 잘못한 거
잖아!! 그런데 왜 우리가… 엄마가 사과해야 하는 거야?!"

그동안의 극심한 스트레스 때문일까, 아니면 그동안 참아
온 것이 한꺼번에 터져 버렸기 때문일까?

그 이유는 아무도 모른다.

어쨌든 윤지율과 달리 정예지는 거의 히스테리를 부리는
수준으로 극도로 민감하게 반응하면서 윤지율을 향해 억박지

르기까지 했다.

보통은 상황이 이렇게까지 되면 누구라도 같이 화내면서 난리칠 것이다.

하지만 의외로 윤지율은 끝까지 차분한 눈동자를 유지하면서 정예지를 똑바로 보고 입을 열었다.

"그 돈으로… 너와 내가 살아왔으니까. 선우재중이라는 그 아이가 받아야 할 최소한의 행복마저도 빼앗은 것이 바로 너와 나니까… 그러니까 사과하는 거란다."

"말도 안 돼!! 난 싫어!!"

살아온 연륜이 달라서일까. 현실을 받아들이고 깊게 생각한 윤지율은 결국 지금의 모든 것을 받아들이는 쪽으로 결심했다.

하지만 이제 스무 살이 된 정예지는 그러기에는 아직 어린 나이였다.

거기다 외동딸로 곱게만 커왔으니 오죽하겠는가?

지금 정태만이 사라진 이유로 받는 스트레스만 해도 엄청난데 그것을 넘어 사라진 정태만의 죄까지 뒤집어써야 한단다.

그것을 받아들이기에 정예지는 아직 어렸다.

"예지야."

"싫어! 난 안 가!"

윤지율이 뭐라고 말만 하면 무조건 싫다고 하더니 결국,

쾅!!

문을 닫고 들어간 버린다.

그런 정예지의 모습을 지켜본 윤지율은 절로 한숨이 나왔다.

이제 가족이라고는 단둘뿐이다.

아직 이 모든 것을 받아들이는 게 어린 예지에게는 당연히 무리라는 것을 그녀도 잘 알고 있으니 말이다.

하지만 그렇다고 피하는 것은 더더욱 말도 안 되는 일이었다.

윤지율은 선우재중을 찾아가 빌어야 한다고 결심했지만, 역시나 예상대로 정예지가 격렬하게 거부하자 그녀로서도 당장 어떻게 할 방법이 없었다.

결국 나오는 건 한숨뿐이었다.

스윽.

그때 갑자기 윤지율이 고개를 돌린 곳, 바깥의 시선을 막기 위해 쳐놓은 커튼 구석 어두운 곳에서 누군가가 모습을 드러냈다.

"누, 누구세요?"

벌떡!

갑작스런 등장에 너무 놀란 윤지율은 조금 전까지 쓰러질

것 같은 상태와 달리 벌떡 일어섰다.

윤지율은 어둠 속에서 소리 없이 나타난 청년을 똑바로 쳐다보며 물었다.

"누, 누군데 이 집에 함부로 들어온 거예요?! 얼른 나가요!!"

일하던 사람도 모두 떠나고 정태만까지 없는 이 큰 집에 지금 있는 사람은 윤지율과 정예지 단둘뿐이었다.

윤지율이 갑작스런 청년의 등장에 민감하게 반응하는 것은 당연했다.

하지만 그런 윤지율의 반응에 오히려 청년은 웃었다.

그리고는 정확하게 그녀와 2m 정도 거리까지 다가오더니 멈춰 섰다.

"이렇게 얼굴을 마주하는 것은 처음이군요, 윤지율 여사님."

"다, 당신은 누군데 내 이름을… 알고 있는 거죠?"

윤지율은 자신의 이름을 상대가 정확하게 알고 있자 놀람을 넘어 공포가 얼굴에 드리워지기 시작했다.

하지만 그런 그녀의 얼굴을 보면서 청년은 오히려 입가에 작은 미소를 지었다.

지금의 상황과 너무나도 어울리지 않는 매력적인 미소였다.

"누구 때문에⋯ 어쩌면 세상에서 가장 가까운 사람이 될 뻔했지만 이제는 다시는 가까워질 수 없는 사이이기도 한 선우재중입니다."

"헉!! 다, 당신이⋯ 선우⋯ 재중⋯⋯!'

윤지율은 설마 선우재중이 자신을 찾아올 것이라고는 생각조차 하지 않았기에 너무 놀라 온몸이 굳어버렸다.

하지만 그것도 잠시였다.

곧 떨리는 손을 움직여 주머니를 뒤지기 시작한 윤지율은 작은 사진 한 장을 꺼내 들어 앞으로 내밀고는 재중과 비교하기 시작했다.

"정말⋯ 선우⋯ 재중인가요?'

사진을 비교한 윤지율은 방금 전과 다른 조금 낮은 목소리로 다시 물었다.

"네, 제가 선우재중입니다, 윤지율 여사⋯ 아니, 외숙모님."

"⋯정말⋯ 선우재중이⋯ 맞군요."

그 존재조차 몰랐던 사람이 어느 날 갑자기 자신을 찾아온다면 누구라도 이렇게 반응했을 것이다.

"어떻게 여기를⋯⋯."

털썩!

재중이 찾아온 것에 당황해서 떨리는 손으로 뭐라도 하려는 듯 움직이던 윤지율은 갑자기 다리에 힘이 풀리는 바람에 소파에 주저앉아 버렸다.

다시 일어서려고 용을 쓰는 듯했지만, 어찌 된 일인지 좀처럼 몸이 말을 듣지 않는 듯 일어나질 못하는 모습이다.

"역시……."

반면 그런 그녀의 모습을 쳐다본 재중은 자신의 예상대로라는 듯 눈빛에 쓸쓸함이 살짝 스치고 지나가더니 그녀에게 다가갔다.

"제 손을 잡고 일어나세요."

"미, 미안해요, 선우재중 씨."

촌수로 보면 윤지율은 외숙모이다.

즉 손윗사람인 것이다.

하지만 지금의 상황은 재중이 손윗사람이라고 해도 전혀 어색하지 않을 모습이었다.

그러나 윤지율이나 재중이나 서로 그걸 전혀 의식하지 않고 있다.

사실 재중은 끝까지 그림자에 몸을 숨긴 채 조용히 있을 생각이었다.

윤지율이 재중을 찾아가서 빌자는 말을 하지 않았다면 말이다.

정태만에게 원한이 깊은 것이지 윤지율이나 정예지에게는

개인적으로 원한이 없는 재중이었다.

아마 그렇기에 이렇게 쉽게 흔들렸는지도 모른다.

세상의 온갖 고통과 힘든 일을 겪어본 재중이다.

그래서 재중을 찾아가서 빌어야 한다고 한 윤지율이 진심이라는 것을 느낄 수가 있기도 했다.

진심은 결국 통하게 마련이었다.

물론 정태만이 저런 말을 했다면 전혀 먹히지 않았을 것이다.

하지만 윤지율이라면 상황이 달라질 수밖에 없었다.

그런데 한 가지, 윤지율이 놓치고 있는 것이 있었다.

이 집은 안에서 잠그면 열 수 있는 열쇠는 오직 두 개뿐이었다.

워낙에 사람들에게 시달린 그녀들은 안에서 집 안 문을 모두 잠갔다.

그리고 그 열쇠는 그녀들이 가지고 있었고 말이다.

재중이 집에 어떻게 들어왔는지 당연히 이상하게 생각해야 하는데, 윤지율은 재중의 갑작스런 등장에 생각이 멈춰 버려 그것을 잊고 있었다.

"안 되겠군요."

재중이 윤지율의 손을 잡고 일으켜 세웠다.

하지만 이미 그녀의 몸은 최악의 상태였다.

거기다 갑작스런 재중의 등장은 그녀에게 심적으로 적지 않은 충격을 주기에 충분했다.

윤지율은 한순간에 몸의 균형이 깨진 듯했다.

당연히 재중은 이미 어느 정도 이런 상태일 것을 알고 있었다.

그래서 굳이 움직이려는 윤지율을 다시 소파에 앉히고는 억지로 일어서지 못하게 했다.

이러다 혹시 기절이라도 해버리면 오히려 난감한 것은 재중이었으니 말이다.

"뭐라도 대접을 해야……."

윤지율은 안절부절못하는 모습으로 재중에게 뭐라도 주려 했다.

하지만 재중은 고개를 흔들면서 똑바로 그녀를 쳐다봤다.

"그런 것을 받기 위해 온 것이 아닙니다."

"그래도… 처음 왔는데……."

"……."

정태만과 완전 다른 성격이다.

만약에 정태만이 자신들을 버리지 않고 거둬서 윤지율과 결혼했다면 아마 윤지율은 선우재중에게 가장 중요한 사람이 되었을지도 모른다.

아는 사람이 과연 얼마나 있을지 모르지만, 현실적으로 괜찮은 집안에서 큰 어려움 없이 자란 사람들이 성격이 부드럽고 좋은 경우가 많다.

사람의 성격은 선천적인 면도 있지만 후천적으로 자라면서 환경의 영향을 받는 것이 훨씬 많았다.

재중도 본래 이렇게 냉정하고 차가운 성격이 아니었지만 이렇게 된 것처럼 말이다.

윤지율도 딱 그런 경우였다.

무난하게 큰 어려움을 겪지 않고 자랐고 나름 교육을 잘 받아서 필요한 것이 무엇인지를 잘 아는 그런 사람이었다.

흔히들 이런 사람을 현모양처라고 말하기도 한다.

"…그래도 그 인간이 결혼은 잘한 것 같군요."

재중이 나직하게 그 인간이라고 말하자, 윤지율은 표정이 굳어지더니 입술을 살짝 깨물었다.

그 인간이 누구인지 굳이 말하지 않아도 충분히 알 수 있었다.

하지만 차마 자기 입으로 이름을 말할 수 없는 상대가 바로 재중이었으니 말이다.

입술을 깨물고 있던 윤지율이 조용히 소파에서 미끄러져 내려와 무릎을 꿇은 뒤,

"미안해요……."

힘들게 말을 꺼냈다.

하지만 재중은 오히려 천천히 무릎을 꿇은 그녀와 눈높이를 마주하고서 물었다.

"무엇이 미안하십니까?"

"그건… 그이가… 재중 씨의 유산을 가로채서… 지금까지 힘들게 살았다는 것을 최근에야 알았어요. 지금은 그이가 없지만 저도 책임이 있기에 우선 사과하고 싶었어요."

재중을 조카라고 부르기는커녕 이름조차 부르지 못해 재중 씨라고 하는 윤지율이었다.

지금 그녀에게 세상에서 가장 무서운 사람은 바로 재중일지도 몰랐다.

"그것뿐인가요?"

하지만 재중은 오히려 변함없는 표정으로 되물었다.

그러자 강하게 고개를 흔드는 윤지율이다.

"이걸 검찰에 넘길 거예요. 그리고 하다못해 내가 대신 대가를 치러서라도 용서를 빌 거예요. 그녀들에게."

윤지율은 같은 여자이기에 인신매매로 팔려간다는 것이 얼마나 무서운 일인지 잘 알고 있었다.

그녀는 어떻게든지 죄를 씻을 방법을 생각하다 못해 결국 정태만이 끝까지 나타나지 않는다면 자신이라도 대신 대가를 치를 생각까지 하고 있었다.

"…그런다고 죽은 그녀들이 돌아올 거라고 생각하십니까?"

재중은 진심이 묻어나는 윤지율의 말을 듣고서도 냉정하기 그지없었다.

지금 윤지율이 하는 말은 누구라도 할 수 있는 말이기도 했다.

이미 정태만의 손에 팔려 나간 여자 중 반 이상이 죽었다.

그리고 나머지는 마약에 찌들어 정상적인 생활이 불가능한 여자들뿐이었으니 말이다.

사과한다?

그건 피의자가 피해자에게 입으로만 떠드는, 가장 작고 때로는 거짓도 섞여 있을 수 있는 행동일 뿐이다.

"안 된다는 건 저도 알아요. 하지만 이대로 있을 수는 없어요. 제가 어떻게든 죗값을 치를게요. 하지만 예지는… 좀… 봐주세요. 아직도 현실을 받아들이지 못하고 있는 아이예요, 재중 씨."

그래도 역시나 어머니는 어머니였다.

끝까지 정예지를 감싸는 모습을 보면 말이다.

사실 정예지나 윤지율은 모르는 것이 죄였다.

지금까지 사람을 팔아 번 돈으로 살아왔다는 것을 모르고 있던 것, 재중의 유산을 가로채서 살아왔다는 것을 모르고 있었다는 것이 바로 죄였다.

하지만 재중이 일부러 알리긴 했지만, 어쨌든 그녀들 스스로 자신의 죄를 깨닫는 순간 일은 재중의 손을 벗어난 것이나 마찬가지였다.

재중에게는 평생 정태만을 대신해서 그의 죄를 짊어지고 살아야 할 윤지율과 정예지에게 벌을 내릴 수 있는 권한이 없으니 말이다.

물론 유산에 관한 부분은 아직도 재중에게 권한이 남아 있긴 하다.

하지만 이미 재중은 유산에 관해서는 미련을 버린 지 오래였다.

"죗값을 치른다고 하셨습니까?"

"네, 어떻게든 꼭 치를 거예요. 평생이 걸리더라도 말이죠."

진심이 가득한 윤지율의 눈동자를 가만히 지켜본 재중은 천천히 몸을 일으켜 세웠다.

가만히 그녀를 쳐다보던 재중은 다시 입을 열었다.

"그럼 그 인간이 팔아버린 여자들을 되찾으세요. 죽은 사람은 시체라도 찾아서 이곳 한국 땅에 몸을 눕힐 수 있도록 말이죠."

"……"

윤지율은 재중이 하는 말을 듣고 놀란 듯 잠깐 눈동자가 흔들렸다.

하지만 곧 결심한 듯 천천히 힘들게 일어서서 재중을 똑바로 쳐다보면서 고개를 끄덕였다.

"꼭… 모두 데리고 돌아올게요. 내 모든 것을 걸고서라도 말이에요."

사람들이 말하기를 여자는 약하다고 한다.

하지만 어머니는 강하다고들 알고 있다.

하지만 그런 어머니보다 더 강한 여자도 있었다.

바로 한을 품은 여자다.

오뉴월에도 여자가 한을 품으면 서리가 내린다는 말이 그냥 생긴 것이 아니었다.

정말로 여자가 한을 품고 독하게 마음먹는다면 세상의 역사가 바뀔 수도 있었다.

클레오파트라가 그랬던 것처럼 말이다.

씨익~

재중은 조금의 거짓도 없이 순수한, 영혼의 맑은 울림까지 들리는 윤지율의 대답을 듣고선 입가에 미소를 지었다.

그리고 조용하게 말했다.

"정태만은… 이 세상에 없으니 찾지 마세요."

"……!!"

갑자기 재중이 하는 말에 놀란 표정을 지은 윤지율은 턱까지 떨면서 재중에게 물었다.

"설마… 그이가… 죽… 었나… 요?"

"네."

털썩!!

검찰에서 갑자기 정태만이 사라졌다고 했을 때만 해도 윤지율은 최소한 어딘가에서는 살아 있겠지 하는 생각을 했었다.

그리고 그것이 그녀에게는 위안이 됐었다.

그러니 지금 재중의 말은 그녀에게 청천벽력처럼 다가올 수밖에 없었다.

다리에 힘이 풀려 버린 윤지율은 그대로 주저앉아 버렸다.

비록 세상이 손가락질을 해도 자신에게만큼은 잘해준 남편이었다.

그 사람이 죽었다는 말을 듣는다면 누구라도 같은 반응을 보일 것이다.

"재중 씨가… 죽였나요?"

여자의 직감일까?

윤지율은 천천히 고개를 들어 재중을 쳐다보면서 물었다.

"살아 있기에는 이미 너무 많은 죄를 지었으니까요."

살짝 돌리긴 했지만 굳이 부정하지 않는다는 것은 그렇다는 말이나 마찬가지였다.

주르르륵.

갑자기 윤지율의 눈에서 눈물이 흘러내리기 시작하더니 끝없이 흘러내렸다.

"제가 안쓰럽나요?"

재중이 윤지율의 눈물이 무슨 뜻인지 알고 있다는 듯 눈빛이 차갑게 변했다.

재중의 질문에 천천히 고개를 끄덕이는 그녀이다.

"미안해요. 미안해요."

끝없이 사과만 하는 윤지율의 모습에 재중은 천천히 시선을 들더니 정예지의 방을 쳐다보면서 말했다.

"그만 나오지 그래?"

재중의 말이 끝나자마자,

끼이익~

방문을 열면서 천천히 걸어나오는 정예지이다.

그런데 재중을 쳐다보는 그녀의 눈빛이 무척이나 차가웠다.

"니가 아빠를 죽였다고 했어?"

아마 방문 틈으로 재중과 윤지율의 대화를 들은 듯했다.

정예지가 무섭게 재중을 노려보면서 물어보자 재중은 당연하단 듯 고개를 끄덕였다.

"살아 있는 것 자체가 죄인 인간도 있는 법이니까."

"왜! 왜 그걸 니가 판단해?! 니가 뭔데 아빠를 죽여?! 이 살인자야!! 이 살인자야!!"

타타타탁!!

갑자기 재중을 향해 달려드는 정예지는 어디서 꺼냈는지 손에 작은 과도(果刀)를 들고 있었다.

그리고 달려오면서 그대로 과도를 재중의 가슴을 향해 찔러왔다.

"예지야!! 안 돼!!"

갑작스런 정예지의 행동에 놀란 윤지율이 소리쳤다.

하지만 상태가 최악인 그녀의 몸으로 정예지를 막기에는 턱없이 부족했다.

"너도 죽어버렷!!"

살기가 번뜩이는 정예지의 눈빛을 본 재중은 그저 가만히 있을 뿐이다.

그러다가 거의 재중의 가슴에 칼이 닿기 직전,

덥석!

어느새 재중의 손에 정예지의 목이 움켜쥐어 있었다.

탱!

재중에게 목이 잡힌 정예지의 손에서 과도가 힘없이 바닥으로 떨어졌다.

정예지의 목을 움켜쥔 재중의 눈빛은 차갑다 못해 보는 사람을 얼어버리게 만들 만큼 가라앉아 있었다.

"그 인간의 피가… 결국 너에게도 흐른다는 건가?"

방금 전에 보인 살기, 그건 진심이었다.

정예지의 과도로 재중은 죽기는커녕 생채기 하나 입지 않았다.

하지만 중요한 것은 자신을 죽이려 했다는 것이다.

자신을 죽이려 했다면 그건 남자든 여자든, 노인이든 어린아이든 상관없이 적이니 말이다.

Chapter 11
핏줄이란

"안 돼요!! 예지는 안 돼요!! 제발!! 제발!!"

누가 보면 재중이 희대의 살인마이고 여자들이 살려달라고 매달리는 모습으로 오해할 만한 상황이었다.

그러나 재중은 너무나 차분했다.

이미 이런 상황은 대륙에서도 심심치 않게 경험했으니 말이다.

일말의 동정심, 쓸데없는 그 동정심이 나중에 칼이 되어 되돌아오는 경우가 너무나 많은 곳이 바로 대륙이었다.

하물며 대륙보다 더욱 복잡하고 고등교육을 받은 지구는

어떻겠는가?

어떤 변수가 생길지 그 누구도 예측할 수 없었다.

"쿨럭쿨럭!!"

정예지는 자신이 목이 잡혔다는 것도 인지하지 못할 만큼 발버둥을 쳤다.

하지만 마치 커다란 고목나무에 매달린 것처럼 그저 의미 없는 반항일 뿐이었다.

"제발 한 번만 용서해 줘요!! 아이가 어려서… 아직 어려서 충격을 이기지 못해서 그러는 거예요, 재중 씨. 제발… 제발 예지만은… 제발……."

지금 윤지율은 재중에게만큼은 절대적인 약자였다.

하지만 그런 것에 아랑곳하지 않은 재중은 천천히 손에서 조금씩 힘을 풀면서 정예지의 얼굴을 가까이 당겼다.

그리고 천천히 입을 열었다.

"네가 지금 입고 있는 옷, 제가 다니던 학교의 등록금, 그리고 지금 네가 자고 있는 침대, 그 모든 것이 다른 여자의 목숨 값이다."

부들부들, 부들부들.

정예지는 숨이 턱턱 막히는 상황에서야 제정신이 살짝 돌아온 듯했다.

그녀는 조금 전에 보이던 광기 어린 살기는 온데간데없이 사라지고 재중의 보면서 온몸을 떨고 있었다.

"네가 학원 한 번 갈 때마다 한 명의 여자가 팔려 갔다. 그리고 네가 차 한 대를 살 때마다 한 명의 여자가 팔려 나갔다. 넌 어떻게 생각해?"

"……."

잔인하리만큼 냉정하고 직설적으로 말하는 재중의 모습에 윤지율도 온몸을 벌벌 떨 수밖에 없었다.

"그리고 난 그 인간을 죽일 권리를 가지고 있기도 하지."

"…왜… 어째서… 당신이……."

기가 죽긴 했지만 아직 재중이 정태만을 죽인 것이 왜 옳은 일인지 이해하지 못하는 정예다.

정예지가 되묻자 재중이 입을 열었다.

"난 복수를 한 것이니까."

"그럼 나도 복수할 거야!! 널 죽일 거라고!!"

감정의 기복이 심하게 오락가락하는 정예지의 모습에 재중은 오히려 입가에 미소를 지으면서 말했다.

"복수? 후후후훗, 나에게 복수를 하기 전에 네 아비라는 놈이 죽인 여자들의 가족에게 사과부터 해라!!"

쾅!!

재중은 갑자기 소리치면서 정예지를 그대로 소파로 집어 던져 버렸다.

"복수라고 했나? 크크크크큭, 복수란 말이야, 복수란 말이야, 자신이 당한 만큼 하는 거야. 그리고 고아원에 버린 조카들이 나중에 찾아올까 무서워서 죽이라고 사람까지 사서 보낸 정태만이라는 인간을 내가 죽이는 것이 왜 안 되지?"

"쿨럭쿨럭, 쿨럭! 무, 무슨 말이야, 그게?"

다행히 비싼 소파답게 재중이 던진 충격을 대부분 흡수한 듯했다.

정예지는 별다른 충격 없이 일어섰지만 다시 덤비지는 않았다.

본능적으로 더 이상 덤비면 죽을지도 모른다는 것을 느낀 듯 말이다.

"이걸 보면 이해가 빠르겠지."

재중이 테라를 시켜서 정태만의 기억 속 영상을 끄집어내 찍은 것을 담아둔 작은 동영상 재생기를 꺼내 앞에 내려놓았다.

정예지는 그걸 낚아채듯 빠르게 집어 들어 보기 시작했다.

"······."

시간이 흐를수록 점차 표정이 어두워지기 시작한 정예지는 급기야 마지막 장면에서는 고개를 돌려 버리고야 말았다.

"사고로 부모를 잃은 조카들을 고아원에 버린 것도 모자라 죽이라고 사람까지 보낸 그 인간이 과연 살아 있을 자격이 있을까? 그리고 내가 복수를 할 자격이 없을까?"

"……."

"……."

윤지율도 정예지도 입을 열지 못했다.

뿐만 아니라 차마 재중을 쳐다보지도 못하고 있었다.

자신의 모든 것이라고 알았던 아빠가, 남편이 짐승만도 못한 인간이라는 것을 두 눈으로 확인하고야 말았으니 말이다.

최소한 짐승도 자기와 관련된 새끼를 죽이지는 않는다.

하지만 정태만은 돈에 눈이 멀어 아직 핏덩이인 어린 선우재중과 선우연아를 죽이라고 사람을 보내 시켰다.

그것만으로도 재중이 복수를 할 이유는 충분했다.

그런데 그런 분위기 중간, 갑자기 재중의 귓가에 흑기병의 목소리가 들렸다.

―마스터, 녀석들이 움직입니다.

정말 타이밍도 절묘하게 맞춰서 움직이는 녀석들이라는 생각이 들었다.

재중은 정예지와 윤지율을 쳐다보더니,

"지금 분위기에 맞진 않지만 당신들이 알아야 할 것이 있어. 곧 정태만이 여자를 팔아오던 중국의 마피아가 당신들을 찾아올 거야."

"그, 그게 무슨 말이에요?"

윤지율은 뜬금없이 중국 마피아가 자신들을 찾아온다는 말에 재중을 쳐다보면서 물어봤다.

재중은 별거 아니라는 듯 대답했다.

"정태만이 여자 공급용으로 운영했던 기획사, 거기의 모든 것을 가지고 싶은 모양이지. 아마도……."

살짝 여운을 남기며 말꼬리를 흐리긴 했지만 거의 다 말한 것이나 마찬가지였다.

"어째서… 이제 와서……."

윤지율은 뭐라고 말하려다가 정예지가 조금 전에 했던 말을 떠올렸다.

오늘부터 형사들이 보이지 않는다는 것을 말이다.

여태 가정주부로 살아온 그녀지만 최소한 바보는 아니었다.

직감적으로 재중의 말이 사실이라는 것을 느낄 수 있었다.

잠시 정예지를 쳐다보던 윤지율은 탁자에 있는 서류를 급하게 추슬러서 재중에게 내밀었다.

"이건?"

이미 정황상 그녀들이 존재할 가치를 느끼지 못한 재중이라 반말로 말했다.

하지만 윤지율은 그것도 전혀 느끼지 못하는 듯했다.

"남편이 소유하고 있던 기획사 지분과 주소, 그리고 기획사 소속의 연습생들 계약서예요."

"그걸 왜 나한테?"

재중이 뜬금없이 그걸 왜 주느냐고 물어보자,

"이 여자들은 안 돼요. 더 이상 안 돼요. 그러니 재중 씨가 가지고 얼른 가세요."

힘도 없으면서 재중을 떠밀어서 현관 밖으로 내보내려고 하는 윤지율이다.

당연히 재중은 마음먹기에 따라 수십 명이 달라붙어도 꿈쩍도 하지 않을 수 있다.

이미 심신이 쇠약해진 여자가 민다고 밀릴 재중도 아니기에 가만히 서서 물었다.

"당신들은?"

멈칫!

물음에 땀까지 흘리면서 재중을 밀던 윤지율은 갑작스런 질문에 재중의 몸에서 손을 뗐다.

그러더니 정예지의 손목을 잡고 억지로 끌고 와 재중에게 내미는 게 아닌가?

당연히 재중은 지금 그녀가 뭘 하는 건지 도무지 이해가 가지 않았다.

재중이 무슨 뜻인지 물어보려는데 그녀가 먼저 입을 열었다.

"제가 그 중국 사람들에게 갈 거예요. 대신 예지를 데리고 떠나주세요."

"엄마, 그게 무슨 말이야?! 내가 왜 이 사람이랑 가야 해?!"

재중을 극도로 싫어하는, 아니, 싫어할 수밖에 없는 정예지가 소리치면서 윤지율의 옆으로 걸음을 옮기려고 하는 순간,

짝!!

느닷없이 윤지율이 정예지의 뺨을 후려쳤다.

"엄마……?"

지금까지 살면서 야단조차 한 번 맞아본 적이 없는 정예지였다.

그녀는 난생처음 뺨을 때린 사람이 자신의 엄마라는 것에 너무나 놀라서 멍하니 쳐다보았다.

"따라가. 그리고 어떻게든 재중 씨에게 용서를 빌어."

"엄마, 왜……?"

"용서를 구해도 모자랄 사람에게 칼을 들고 덤빈 네가 내 딸이지만 너무나 수치스럽구나!"

"엄마…….."

"그리고 재중 씨가… 아버지를 죽인 것은… 당연한 일이다."

"엄마!!"

설마 윤지율의 입에서 그런 말이 나올 것이라곤 전혀 생각

지도 못한 정예지가 큰 소리로 부르자,

짝!!

다시 윤지율의 손이 정예지의 뺨을 힘차게 때리고 지나갔다.

"정신 차려, 이것아!! 네 아빠라는 사람은 무려 100명이 넘는 여자를 중국에 팔아서 번 돈으로 너를 키운 짐승이다!! 넌 짐승의 딸로 남고 싶은 거냐!!"

"……."

옆에 있던 재중도 놀랐다.

설마 하니 저렇게 자기 딸에게 직설적으로 말하는 부모가 있을 줄은 몰랐다.

하지만 효과는 확실했다.

"…엄마, 그게 아니라… 그냥… 난 믿고 싶지 않아서… 그래서……."

재중이 그렇게 무섭게 공포를 심어줘도 돌아오지 않던 정신이 윤지율의 돌직구에 돌아온 것을 보면 말이다.

"믿어! 그리고 인정해! 너와 나는 아버지라는 사람이 남겨준 죄를 대신 짊어지고 살아가야 하니까!"

"엄마……."

그런데 꼭 나쁜 일은 정말 절묘한 타이밍에 생긴다.

―마스터, 녀석들이 저택 안으로 들어갔습니다.

'뭐… 생각보다 빠르지만 별수 없지.'

재중은 흑기병의 말에 돌연 앞으로 걸어 나오더니 정예지의 어깨를 덥석 잡았다.

거기다 윤지율의 어깨까지 강제로 잡더니 품으로 안듯 끌어당겼다.

"무, 무슨 일……?"

"뭐얏!! 저리 가!!"

갑자기 남자가 자신의 품으로 끌어당기는 상황에 여자라면 본능적으로 반항하는 것은 당연했다.

남자라고 하지만 제법 마른 몸의 재중이다.

하지만 재중이 끌어당기는 힘에 너무나 당연하게 끌려들어 간 정예지와 윤지율이었다.

"우선 불청객부터 처리하고 나서 계속 싸우시죠."

"……?"

"헛! 설마……?"

재중의 말을 바로 이해하지 못한 정예지와 달리 윤지율은 바로 알아들은 듯했다.

굳은 표정으로 재중을 쳐다본 그녀는 다급하게 말했다.

"어서 도망쳐요. 아직 시간이……."

콰직!

윤지율이 도망치라고 말하는 도중, 저택의 현관에서 무언가 강하게 부서지는 소리가 들렸다.

그리고 문이 열리기 시작했다.

열쇠가 없으면 절대로 열리지 않을 문이 말이다.

열린 문으로 사람 모습을 한 검은 형체가 천천히 걸어 들어왔다.

깔끔한 정장 차림이다.

강제로 문을 열지 않았다면 마치 저택을 침입한 것이 아니라 보호하기 위해서 왔다고 해도 믿을 정도로 말이다.

"저 녀석은 뭐지?"

저택 문을 강제로 부수고 들어온 녀석들이 막상 들어와서는 떡하니 버티고 있는 재중을 보고 서로 이야기를 주고받기 시작했다.

물론 중국어로 말이다.

"뭐야? 여자 둘뿐이라더니 저놈은 뭐야?"

"나도 모르지."

"에이, 몰라. 위에서는 여자 둘만 잡아 오랬으니까 저놈은 그냥 썰어버려."

잠깐 몇 마디 하는 것 같더니 녀석들은 금세 결론을 내렸다.

명령받은 윤지율과 정예지 외에는 필요가 없었다.

그렇게 여자 외에는 죽이든 살든 상관없다는 결론이 나면서 재중은 그저 죽여 버리면 되는 녀석이 되어버렸다.

녀석들의 대화를 가만히 듣던 재중이 피식 웃었다.

그런데 그걸 정면에 서 있던 녀석 하나가 보더니 동료들에게 말했다.

"야, 저 조선 놈이 우리 보고는 웃는다?"

"뭐? 웃어?"

"미친놈. 크크큭, 우리가 누군지도 모르고."

삼합회 녀석들이 굳이 정장을 입은 것은 바로 주변의 눈 때문이었다.

아무래도 좀 있는 사람들이 사는 동네이다 보니 사방에 CCTV가 깔려 있다.

그런 곳에 수상한 사람들이 어슬렁거리면 당연히 증거가 남게 된다.

하지만 이런 곳에서도 감쪽같이 남들의 의심을 피하는 방법이 있었으니 바로 경호원처럼 옷을 입는 것이다.

실제로 이 동네엔 경호원을 두고 있는 집이 제법 많은 편이었다.

그러다 보니 이처럼 정장 차림에 선글라스까지 끼고 있으면 얼굴도 가릴 수 있고 당장 사람들의 의심도 피할 수 있다.

일석이조의 좋은 방법이기에 놈들이 이렇게 차려입고 온 것이다.

그런데 지금 삼합회 녀석들은 재중이 웃는 것이 자신들의 옷차림 때문에 경호원으로 오해하고 좋아하는 것으로 받아들였다.

"내가 가서 확 멱을 따버릴게."

녀석들은 계속 입가에 미소를 머금고 있는 재중을 보았다.

그러다 그중 잠자리 선글라스를 쓴 녀석이 자신있게 나섰다.

놈은 재중에게 다가가는 척하다가 순간적으로 허리 뒤에 있던 회칼을 뽑아 목을 향해 휘둘렀다.

아니, 휘두르다가 멈췄다는 말이 정확했다.

멈칫!

"뭐야?"

녀석은 순간 자신의 회칼이 정확하게 재중의 목에 닿기 직전 멈춰 선 것을 보고는 믿을 수 없다는 듯 소리쳤다.

"뭐긴, 이거지."

덥석!

갑자기 재중이 녀석에게 중국어로 대답하면서 잠자리 선글라스 녀석의 얼굴을 그대로 움켜잡아 버렸다.

콰직!!

"크악!!"

재중이 녀석의 얼굴을 움켜잡자 쓰고 있던 선글라스가 부서지면서 눈 안으로 파고들어 버렸다.

하지만 이건 시작에 불과했다.

"시끄러워."

우지끈!

비명 소리가 시끄러워지자 재중이 머리를 잡고 있는 손에 힘을 조금 더 주었다.

그러자 두개골이 압박을 견디지 못하고 깨져 버렸다.

털썩!

인간의 몸 중에서 가장 민감함 부분이 바로 뇌다.

그런데 그런 뇌를 강한 힘으로 압박하는 것도 모자라 두개 골을 부서뜨려 버렸다.

상대는 마치 빨랫줄에 널린 빨래처럼 축 늘어져 버렸다.

붕붕!

그리고 재중은 이어서 기절한 건지 죽은 건지 확실하지 않은 녀석의 얼굴을 움켜쥔 채 그대로 휘두르기 시작했다.

도무지 재중의 몸을 봐서는 불가능해 보이는 엄청난 힘으로 사람을 채찍처럼 휘둘러서 또 다른 사람을 팬다.

윤지율과 정예지는 이 진기한 장면을 구경하는 영광 아닌 영광을 누리게 되었다.

그런데 재중이 그녀들을 기절시키거나 잠들게 해도 되는데 굳이 이처럼 그냥 둔 것은 모두 이유가 있었다.

잘못을 깨달았으니 죽일 이유가 사라진 것까지는 좋다.

하지만 윤지율과 달리 정예지는 틈만 나면 재중을 향해 살기를 드러내는 것이 문제였다.

사실 재중의 본래 성격대로라면 자신에게 살기를 드러내는 녀석을 살려둔다는 것 자체가 말이 안 된다.

그러나 역시나 윤지율이 어떻게든 버티고 있기도 했고, 그놈의 핏줄이라는 것이 결국 마지막에는 재중의 마음을 살짝 돌리게 하는 데 큰 영향을 끼치기도 했다.

하지만 인간은 망각의 동물이다.

재중은 그냥 그대로 두면 언제고 뒤통수를 칠 수도 있는 게 정예지라고 판단했다.

그래서 조용하게 처리할 수도 있지만 일부러 그녀들을 그대로 놔두고 과장되게 움직이면서 사람을 들고 휘두르는 믿지 못할 장면을 연출한 것이다.

한마디로 까불면 너도 이렇게 들고 휘둘러 패 죽인다는 무언의 경고였다.

퍽퍽퍽!

"쿨럭쿨럭!!"

회칼? 총?

그게 무슨 소용이란 말인가?

사람을 들고 휘둘러 대는 괴물 앞에서는 모든 것이 무용지

물이었다.

이건 맞는 순간 온몸의 뼈가 산산이 부서지는 고통은 기본이고, 머리라도 맞으면 그날로 이승과는 영원히 안녕일 만큼 파괴력이 엄청났다.

'어라? 이거 꽤 쓸 만하네?'

한편 재중도 설마 이 정도로 파괴력이 좋을 줄은 몰랐는지 속으로 제법 놀라고 있는 중이다.

하지만 그냥 생각해도 간단히 결론이 나오는 일이다.

80㎏이 넘는 남자를 세상에 누가 저렇게 무식하게 들고 휘두르면서 사람을 때려잡겠는가?

기본적으로 저런 짓을 할 사람도 없거니와 할 이유도 없을 것이다.

털썩!!

불과 1분 만에 저택에 들어온 여덟 명의 삼합회 녀석을 같은 삼합회 녀석으로 때려잡은 재중이었다.

재중이 마지막까지 들고 있던 녀석을 던져 버리자 녀석 역시 쓰러진 녀석들 사이에 쓰레기처럼 널브러져 버렸다.

그리고 정예지는 우연히 고개를 돌리다가 보았다.

재중이 잡고 휘두른 사람의 목이 마치 꽈배기처럼 꼬여 있는 것을 말이다.

오싹!!

그걸 보고 뒤이어 재중과 눈이 마주치자 정예지는 온몸에 소름이 돋았다.

"딸꾹!"

그저 눈만 마주쳤는데 너무 놀라서 딸꾹질을 하기 시작했다.

재중을 보고 무서워하는 것은 윤지율도 마찬가지다.

하지만 확실히 독기가 오른 윤지율은 나름 견디려고 노력하고 있었다.

"저… 사람들은… 모두 죽은… 건가요?"

이건 상식적으로 봐도 더 물어볼 것도 없었다.

뼈 부러지는 소리가 윤지율의 귀에도 여러 번 들렸고 쓰러진 자들은 꿈적도 하지 않고 있었다.

하지만 혹시나 하여 물어본 것이다.

그런데 재중이 질문에 대답은 하지 않고 쓰러진 녀석의 목덜미를 움켜쥔 채 들어 올리는 게 아닌가.

이어 재중은 들어 올린 놈의 상의를 찢어버렸다.

"헉!"

"어머!!"

정예지는 재중이 갑자기 침입자의 옷을 찢어버리자 기겁하면서 입을 가렸는데 어째서인지 눈은 가리지 않았다.

윤지율도 놀라긴 했지만 조금 멈칫거렸을 뿐이다.

하지만 정작 그녀들을 놀라게 한 것은 따로 있었다.

바로 재중이 옷을 찢어버린 녀석의 등에 선명하게 그려진 문신이었다.

활활 타오르는 괴물이 손에 칼을 들고 서 있는 모습이다.

"정예지, 잘 봐라. 이게 네 아버지라고 한 인간이 판 여자를 사 간 녀석들이니까 말이야."

"……."

재중이 정예지에게 문신을 들이밀자 그녀는 고개를 돌리며 윤지율의 뒤로 숨어버렸다.

하지만 그녀도 이미 느끼고 있는 듯했다.

자신의 아버지라는 인간이 얼마나 더러운 인간이었는지 말이다.

"이 사람들은… 도대체 누군가요?"

이들이 누군지 잘 알고 있는 듯한 재중의 모습에 윤지율이 물었다.

"삼합회."

짧게 한마디 했지만 윤지율은 심하게 놀랐다.

동네 건달만 봐도 가슴이 벌렁거리면서 무서워하던 그녀이니 말이다.

하지만 이상하게도 지금은 무섭기는 했지만 가슴이 심하게 뛰거나 무서워서 도망치고 싶은 생각은 들지 않았다.

그녀는 그런 자신을 느끼면서 조금 신기하기도 했다.

"훗."

재중은 윤지율의 눈동자에서 두려움은 느끼고 있지만 공포는 보이지 않음을 읽었다.

재중이 가볍게 웃으면서 다시 입을 열었다.

"이 녀석들은 계속 찾아올 텐데, 이제 어떻게 하실 겁니까?"

"네? 또 오다니… 그게 무슨……?"

지금 재중이 막아냈기에 안심하던 윤지율이었다.

그런데 또 찾아온다는 말에 너무 놀라서 눈이 동그래졌다.

"그럼 녀석들이 이대로 포기할 거라고 생각했나요? 정태만이 죽은 것을 아는 사람은 아직 당신들뿐이데 말이죠. 아니, 정태만이 죽었다는 것을 안다고 해도 달라질 건 없겠지만."

"어째서요?"

윤지율은 단순하게 모든 서류를 재중에게 넘기고 자신이 가서 없다고 우기면 어떻게든 해결될 것으로 생각한 것이다.

가정주부로 살아온 윤지율이 세상의 잔인함을 얼마나 알겠는가.

재중은 윤지율이 돈이라면 장기까지 꺼내 파는 이놈들이 얼마나 끈질긴지 이해 못하고 있다는 것을 알았다.

재중이 간단하게 한마디 했다.

"그야 돈이 되니까요"

"…그게 무슨… 돈이……."

돈이 된다는 말을 듣는 순간 아무리 가정주부인 그녀라도 저절로 고개가 끄덕여지는 것은 어쩔 수 없었다.

"한 가지 더 말하자면, 이놈들에게 잡혀가서 모른다고 우길 생각이었다면 포기하는 게 좋을 겁니다."

"어째서… 포기하라는 거예요?"

"모르면 모르는 대로 돈이 되는 것이 여자니까요."

오싹!

순간 재중의 말뜻이 무엇을 말하는지 단번에 이해한 윤지율이다.

그녀는 본능적으로 양팔로 자신의 몸을 감싸며 움츠러들었다.

"살아 있으면 몸을 팔면 되고, 죽으면 장기를 빼서 팔고, 그리고 마지막으로 고기를 팔아도 돈이 되는 것, 그게 삼합회가 보는 당신입니다."

덜덜덜, 덜덜덜.

잔인한 말을 서슴없이 하는 재중의 목소리에 은근히 실려 있는 미약한 살기가 윤지율에게 이 모든 것이 현실임을 받아들이게 했다.

"어째서… 그 사람은 어째서 이런 놈들과 거래를……."

재중의 말이 모두 사실이라면 이건 인간이 아니었다.

아니, 이런 놈들이 살아 있다는 것 자체가 도무지 이해가 되지 않았다.

그런데 재중은 그녀의 말에 오히려 웃었다.

"돈이 되니까요."

"……."

모든 질문에 대한 대답이 돈이 된다였다.

윤지율은 모든 것을 내려놓은 듯 풀죽은 얼굴로 재중을 바라봤다.

"이제 어떻게 해야 되죠? 예지는… 이제 꽃피울 나이인 예지는 안 돼요. 이런 놈들에게… 안 돼요. 그것만은 절대로……."

그녀들은 자신이 지금 얼마나 위험한 지경이 놓여 있는지 이제야 피부로 느끼게 되었다.

막연히 이야기로 듣던 것과는 차원이 다른 공포가 그녀들을 집어삼키고 있었다.

한편 재중은 조금 복잡한 심경이었다.

자신이 이런 상황을 만들긴 했지만, 정태만에게 복수를 했을 때와는 다른 찜찜한 기분이 계속 가슴 한곳을 자극하고 있는 중이었다.

뭐랄까, 정말 지워 버리고 싶지만 지워 버릴 수 없는 피의 이끌림이랄까?

자신의 손으로 정태만을 죽이긴 했지만 정예지와 윤지율에게 냉정하게 대할 때마다 가슴 한곳이 따끔거리며 묘하게 자극하고 있었다.

'피의 이끌림인 건가, 결국?

재중이 아무리 거부한다고 해도 정예지와 재중이 같은 핏줄을 타고난 것만큼은 변할 수가 없었다.

특히 외가 쪽이다 보니 그런 피의 이끌림이 더욱 강했을지도 모른다.

그걸 처음으로 느끼고 깨닫는 재중으로서는 핏줄이라는 느낌을 받아들여야 할지 말아야 할지 잠깐 혼란스러웠다.

개인적으로 윤지율과 정예지에는 원한이 없었다.

왜냐하면 여태까지는 만난 적도 없었고, 정태만이 유산을 모두 가로챈 후에 만난 사람들이다.

하지만 정태만의 딸과 아내라는 것에 자연스럽게 거부감이 든다.

그것만큼은 본인도 어쩔 수 없었다.

스윽.

하지만 역시나 죽게 내버려 둘 수는 없다고 결론을 내린 재중이었다.

재중이 조용히 손을 내밀자 윤지율은 울먹이다가 재중의

손을 한번 보고는 무슨 뜻인지 모르겠다는 표정으로 쳐다보았다.

"살고 싶으면 잡아요."

애증이 교차하는 현재 재중으로서는 이 정도가 정말 최선의 선택이었다.

자신이 마음만 먹으면 윤지율과 정예지 정도는 얼마든지 보호할 수 있는 능력이 있다.

하지만 오히려 그렇기에 더욱 복잡한 마음이 드는 것인지도 몰랐다.

차라리 평범한 사람이라면 자신의 능력 밖이라면서 애써 모른 척했을 텐데, 이번만큼은 자신의 힘이 조금은 원망스러운 재중이었다.

"엄마……."

정예지는 아직도 어떻게 해야 할지 갈피를 잡지 못하고 있었다.

그저 윤지율의 눈치만 보고 있는 것이 아무래도 그녀의 선택에 따를 모양인 듯했다.

그 모습을 본 재중은 아무런 말 없이 윤지율만을 쳐다봤다.

어차피 재중의 마음을 움직인 것은 윤지율 그녀였으니 말이다.

만약 윤지율이 아닌 정예지였다면 아마 재중은 결코 자신의 모습을 드러내지 않았을 것이다.

자기 마음 하나 스스로 조절하지 못해 극단적으로 폭력성을 드러내는 그런 시한폭탄 같은 사람을 굳이 보호해 줄 이유가 없으니 말이다.

그리고 정예지는 자신이 처한 현실을 인정하기 싫다고 상대를 죽이려는 폭력성까지 보여줬다.

그건 자기 욕심을 위해 어린 조카까지 죽이려 한 정태만과 똑같은 핏줄이라는 것을 드러내는 증거일 뿐이었다.

그렇기에 더더욱 재중이 정예지를 바라보는 시선은 차가울 수밖에 없었다.

물론 정예지의 입장에서는 재중의 그런 시선에 억울할 수도 있었다.

아니, 자신의 현재 상황을 생각하면 억울하다고 하소연할 수도 있었다.

하지만 재중에게만큼은 그런 정예지의 억울함도 그저 배부른 투정에 지나지 않았다.

재중이 살아온 인생에 비하면 말이다.

"고마워요."

윤지율은 차마 재중을 쳐다볼 낯이 없는지 고개를 살짝 돌려 눈이 마주치는 것을 피했다.

하지만 재중을 잡은 손에는 힘이 가득 들어 있었다.

짜악.

그런 윤지율과 달리 정예지는 재중을 쳐다보는 것도 싫은지 고개까지 돌리면서 윤지율의 허리를 꽉 잡았다.

뭐, 재중도 정예지의 시선 따위는 애초부터 관심이 없었다.

윤지율이 손을 잡자 재중은 주머니에서 휴대폰을 꺼내 어디론가 전화를 걸었다.

"시우바 회장님."

─응? 재중 군 아닌가? 어쩐 일인가?

시우바 회장은 재중에게서 전화가 오자 표정이 살짝 굳어졌다.

재중의 무력을 잘 알고 있지만 아무래도 갑작스런 전화에는 긴장할 수밖에 없었다.

"다른 게 아니라, 지금 저희가 타고 있는 크루즈에 빈방 하나 있나 해서요."

─빈방?

무슨 모텔에 와서 방 잡는 것처럼 쉽게 말하는 재중이다.

시우바 회장은 긴장했던 마음이 순식간에 풀어져 버렸다.

방을 찾는 것 자체가 이미 위험과는 아무런 연관이 없다는 뜻이기에 자연스럽게 긴장이 풀린 것이다.

갑작스럽게 전화를 걸어서 크루즈의 빈방을 찾는 것에 시우바 회장은 뭔가 편안함까지 느끼고 있었다.

자신 앞에서 옆집 동네 할아버지에게 뭔가를 요구하듯 편안하게 하는 사람은 재중이 유일하기도 했다.

그렇기에 더욱 재중에게 신경이 쓰이기도 했고 말이다.

—말해보게. 어떤 방을 원하는지.

재중의 부탁만큼은 무엇이든지 들어줄 용의가 있는 시우바 회장이었다.

시우바 회장이 흔쾌히 대답했다.

"그저 여자 둘이 머물 수 있는 방이면 됩니다."

—으잉? 여자 둘?

여자라는 말에 시우바 회장의 눈빛이 게슴츠레해지더니,

—혹시 자네와 관련이 있는 여자들인가?

하고 물어볼 수밖에 없었다.

사실 시우바 회장은 재중의 곁에 천서영이 있는 것도 살짝 걱정이 되는 상황이었다.

그런데 느닷없이 여자 둘이 묵을 방을 달라고 하자 의심부터 들었다.

"네, 관련이 있습니다."

그런데 그런 시우바 회장의 마음을 아는지 모르는지 재중이 앞뒤 다 잘라 버리고 단답형으로 대답한 것이다.

순간 시우바 회장은 가슴이 덜컥 내려앉았다.

—혹시… 결혼할……?

재중은 시우바 회장의 생각을 다 알고 있지만 굳이 설명할
이유가 없었다.

씨익 웃은 재중은,

"방이 있는지만 알려주세요."

방만 알려달라고 다시 재촉했다.

—뭐… 방은 있네만, 지금 자네가 묵고 있는 방의 수준은
아닐 텐데 괜찮겠나?

사실 재중이 묵고 있는 등급의 빈방이 있긴 했다.

하지만 심술이랄까?

재중이 갑자기 데려온 여자들에 대한 반감 때문인지 거짓
말로 좋은 방이 없다고 하자,

"상관없습니다. 지내는 데 불편함만 없다면 말이죠."

—…음, 그렇단 말이지. 그럼 내 바로 연락해 놓겠네.

"네, 그럼."

필요한 말만 하고 끊어버리는 재중이었다.

뒤늦게 수화기를 내려놓은 시우바 회장은 잠시 생각에 잠
겼다.

"음, 그냥 지내는 데 지장만 없으면 된다……. 그럼 마음에
두고 있는 여자는 아니라는 얘긴데, 누구지? 그것도 두 명이
나."

시우바 회장은 설마 재중이 정태만의 아내와 딸을 크루즈로 데리고 갈 줄은 꿈에도 모르고 있었다.

정태만과 재중의 악연이 너무 오래된 것도 있지만, 그걸 신경 쓰기에는 시우바 회장이 너무 바쁜 몸이기도 했다.

Chapter 12
여동생과의 첫 파티

"방이 있다는군요."

"방… 이요?"

갑자기 어디론가 전화를 걸더니 포르투칼어로 대화를 하던 재중이다.

멍하니 재중을 쳐다보고 있던 모녀는 느닷없이 방이 있다는 말에 살짝 겁이 났다.

하지만 이미 그녀들에게는 선택의 여지가 없었다.

"가죠."

재중이 나가려고 하자 윤지율이 멈칫하더니,

"저… 사람들은 어떻게……?"

재중의 인간 채찍에 맞아 죽은 녀석들을 가리키면서 물었다.

"그건 제 부하가 알아서 할 겁니다."

윤지율과 정예지의 어깨를 한꺼번에 강하게 안아 든 재중은 어둠 속으로 사라져 버렸다.

물론 재중이 사라지고 나자 흑기병이 곧바로 모습을 드러냈다.

흑기병은 삼합회 녀석의 시체를 하나씩 끌고 어디론가 사라졌다가 다시 나타나기를 반복했다.

그런데 마지막 녀석까지 모두 치우고 나머지 흔적을 지우기 위해 살펴보던 흑기병의 감각에 누군가가 또 저택 안으로 들어온 것이 감지되었다.

─의외로 늦게 왔군.

흑기병은 이미 녀석들이 올 것을 알고 있는 듯 혼잣말을 했다.

사실 지금 저택에 침입한 것은 바로 처음에 온 녀석들을 밖에서 기다리고 있던 녀석들이었다.

처음 들어온 녀석들이 정태만의 아내인 윤지율과 딸, 정예지를 끌고 집 밖으로 나오면 재빠르게 승합차에 싣고 사라질 계획이었다.

그런데 어찌 된 일인지 들어간 녀석들이 소식이 없자 결국 기다리다 지쳐서 들어온 것이다.

―마스터, 어떻게 할까요?

흑기병이 나직하게 물어봤다.

'흔적도 남기지 마라. 그 무엇도.'

―알겠습니다, 마스터.

재중의 허락이 떨어지자 흑기병은 허공에 손을 뻗어 자신의 무기인 창을 꺼내려 했다.

그런데 흑기병이 잠시 멈칫하더니 다시 아공간에 창을 집어넣었다.

그리고는 그냥 건틀릿을 끼고 저택 현관 앞에 당당하게 서서 녀석들을 기다렸다.

"응? 이건… 뭐지?"

온몸이 철갑인 흑기병이 저택 입구를 막아선 모습에 처음 삼합회 녀석들은 장식 같은 것인 줄 알고 그냥 무시하려고 했었다.

하지만 무시하고 들어가려니 도무지 틈이 없어 어쩔 수 없이 흑기병을 치우려고 손을 뻗었다.

그때!

덥석!

"끄아아아악!!"

갑자기 장식용 갑옷으로 생각한 것이 움직여 손목을 잡은 것이다.

잡힌 녀석은 마치 귀신이라도 본 듯 저택이 떠나가라 소리를 질렀다.

뒤따라오던 녀석들도 덩달아 놀라서 현관 밖으로 뒷걸음질 치더니 흑기병에 잡힌 녀석을 그냥 두고 도망쳤다.

"야! 같이 가!!"

손목이 잡혀서 밖으로 나가 버린 동료를 따라가지 못한 녀석이 애처로이 소리쳤지만,

쾅!

현관문은 매정하게 닫혀 버렸다.

겁에 질린 녀석이 어떻게든지 자신도 밖으로 나가기 위해 고개를 돌리는 순간,

섬뜩!!

그저 흑기병의 투구와 눈이 마주쳤을 뿐인데 마치 투명한 창이 자신의 몸을 관통한 듯한 느낌과 함께 굳어버렸다.

철컥!

그리고 흑기병의 다른 한 손이 살기에 눌려 굳어버린 녀석의 머리를 잡아 들어 올렸다.

"이 괴물아!! 놔!! 놓으란 말이야!!"

살기에 몸은 굳었지만 입은 살아 있는 듯했다.

녀석은 자신의 머리와 다리를 잡고 들어 올린 흑기병에게
욕을 하면서 소리쳐 댔다.

하지만 그러거나 말거나.

흑기병은 녀석을 역기를 들듯 번쩍 들어 올렸다가 그대로
접어버렸다.

콰지지지직!! 빠직!!

"쿨럭쿨럭! 쿨럭!"

털썩!

허리가 뒤로 접혀 버린 녀석은 잠시 사후경직인지 근육이
경련을 일으켜서인지 부르르 떨다가 곧 멈추었다.

그리고 불과 1분이나 지났을까?

먼저 들어온 녀석들을 찾으러 들어온 삼합회 녀석들도 모
조리 허리가 뒤로 접힌 채 죽어버렸다.

놈들은 곧바로 쓰레기를 버리듯 질질 끌고 어둠 속으로 사
라지는 흑기병의 손에 이끌려 조용히 흔적도 없이 사라져 버
렸다.

피 한 방울, 머리카락 하나조차 남기지 않고 깨끗하게 말이
다.

거기다 그날 윤지율의 집을 향한 CCTV만 모두 고장 나버
리는 기이한 일까지 생겼다.

　　　　*　　　*　　　*

　공간이동으로 다시 크루즈로 돌아온 재중은 시우바 회장이 미리 준비해 둔 방으로 모녀를 데리고 갔다.

　사실 그리 좋은 방이 아니라고 말했지만 그건 현재 재중이 머물고 있는 것에 비해서 그렇다는 것일 뿐이다.

　모자라다는 방도 일반 승객은 쉽게 들어오지 못하는 나름 비싼 방이었다.

　"여긴……?"

　윤지율은 재중의 손에 이끌려 시커먼 것이 몸을 덮쳤다고 느꼈다.

　그런데 다음 순간 눈을 뜨니 방금 전까지 자신의 집과 완전 다른 풍경이 펼쳐져 있는 게 아닌가?

　윤지율은 멍하니 한동안 주변을 살펴보다가 재중을 쳐다 봤다.

　"여긴… 어디예요?"

　창밖으로 보이는 것은 온통 끝없는 바다였다.

　그것도 무려 5미터나 길게 늘어진 창문 전체가 말이다.

　거기다 서 있는 곳이 움직이고 있다는 것까지 깨닫자 이곳이 배 안이라는 것은 윤지율도 알 수 있었다.

　다만 그 배라는 것이 커도 너무 크다는 것이 그녀를 이처럼 놀라게 하는 이유이긴 했지만 말이다.

"현재 크루즈 여행 중이기에 여기로 온 겁니다."

"크루즈라니… 방금 전까지 집에 있었는데……."

불과 1초 남짓한 시간에 세상이 달라졌다고 한다면 믿겠는가?

딱 그 말이 어울리는 상황이 지금이었다.

"알고 싶습니까?"

그런데 윤지율의 물음에 재중이 조금은 이상한 눈빛으로 슬쩍 고개를 돌려 되물었다.

순간적으로 윤지율은 직감이 외치는 소리를 들었다.

그냥 모른 체하라고.

"아, 아니에요. 그냥……."

씨익~

바로 눈치채고 정확하게 판단을 내린 윤지율을 보면서 재중은 습관처럼 입가에 미소를 지었다.

정말 정태만 같은 짐승이 어떻게 이런 여자를 만나서 결혼했는지 미스터리였다.

그만큼 좋은 여자라는 것이 재중의 판단이었으니 말이다.

정말 필요할 때 어떻게 행동해야 하는지 스스로 판단해서 대처하는 것은 누가 가르친다고 되는 것이 아니다.

본능이다.

눈치는 어느 정도 경험을 통해 자연스럽게 늘어난다.

하지만 언제 어떻게 판단을 내려서 대처할 것인지는 순전히 스스로의 본능에 맡길 수밖에 없다.

그런 면에서 윤지율은 정말 가정주부로 살아온 것이 아까울 만큼 재능이 있었다.

최소한 재중이 윤지율에게 손을 내민 것이 그저 핏줄의 이끌림에 의한 것만은 아니라는 것을 그녀 스스로 증명하고 있으니 말이다.

"이곳에 제 여동생도 있습니다."

"여동생이라면… 선우연아?"

이미 경찰이 재중의 존재뿐만 아니라 연아의 존재까지 윤지율에게 다 알려주었다.

사진에 카페 주소까지 알려준 상황이다.

물론 알고 있기만 할 뿐이지만 말이다.

그런데 일순 재중의 표정이 차갑게 변하더니 다시 입을 열었다.

"지금부터 크루즈에서 내리는 순간까지 저와 연아를 아는 체하지 마세요."

"……."

재중의 차가운 말에 윤지율은 뭐라고 한마디 하려다가 결국 목구멍까지 넘어온 말을 삼키고야 말았다.

차가운 말이지만 윤지율은 재중이 왜 그러는지 어렴풋이 이해를 한 것이다.

하지만 그렇지 않은 사람도 있었다.

"어째서요?!"

정예지가 마치 자신들을 완전 무시하는 듯한 말에 발끈해서 재중에게 소리쳤다.

하지만 그것도 잠시뿐, 재중과 눈이 마주치자 윤지율의 뒤로 숨어버렸다.

그런 정예지의 말에 재중은 가소롭다는 듯 입꼬리를 올리면서 물었다.

"내가 왜 너에게 그걸 설명해야 하지?"

"그, 그야 친척이잖아요."

우선 발끈해서 소리는 쳤지만 이대로 꼬리 만 강아지처럼 입을 다물기는 싫었는지 끝까지 한마디 한다.

"그만하래도."

그런 정예지의 모습에 윤지율이 말렸다.

하지만 재중에 대해서라면 반감이 가득한 정예지가 쉽게 그 말을 들을 리가 없었다.

"크크크, 친척이라……. 누가 그걸 인정했지?"

"그, 그건… 아빠의 여동생이 그쪽의 엄마니까 당연한 거 아닌가요?"

목소리가 줄어들면서 마지막에는 거의 희미하게 들릴 정
도이긴 했다.

하지만 역시나 끝까지 자기 할 말을 다 하는 정예지였다.

그리고 재중의 입가에 머물러 있던 미소가 순식간에 사라
져 버렸다.

오싹!

정예지는 갑자기 온몸에 소름이 돋으면서 마치 보이지 않
는 무언가가 자신의 어깨를 무겁게 내리누르는 느낌을 받았
다.

얼마나 무겁게 내리누르는지 다리가 떨려서 금방이라도
주저앉을 것 같은 것을 겨우 윤지율의 허리를 부여잡고 버텼
다.

그런 정예지에게 천천히 다가간 재중이 아주 가까이, 코가
거의 닿을 만큼 가까이 들이밀고는 말했다.

"잘 들어. 나에게 가족은 연아 하나뿐이야."

"…그, 그럼 나는… 나는요?"

"훗."

끝까지 재중에게 자신이 친척이라는 것을 말한다.

그런 정예지의 모습에 재중은 코웃음을 치고는 한 걸음 물
러서면서,

"엄마에게 감사해라. 내가 구한 건 네가 아니라 네 엄마

니까."

라는 말과 함께 매정하게 발길을 돌려 방을 나가 버렸다.

"야, 이 나쁜 놈아!!"

재중이 마지막에 한 말은 한마디로 정예지는 덤이라는 뜻
이다.

윤지율을 구하려니 어쩔 수 없이 정예지도 따라온, 덤 말이
다.

차라리 1+1이면 이득이라도 있겠지만, 재중의 입장에서 정
예지는 그저 짐 덩어리에 불과했다.

"예지야, 그만해라."

"하지만 엄마, 저 자식이 나를 덤 취급하잖아요."

자신이 무시당했다는 것에 화가 난 정예지의 모습에 윤지
율은 결국 한숨을 내쉬었다.

자신이나 가족이 무시당하면 불같이 화내면서 상황 판단
을 제대로 하지 못하는 저 성격만큼은 정태만과 너무나 똑같
았다.

"첫딸은… 아빠를 닮는다고 하더니……."

얼굴이나 외형은 윤지율을 그대로 쏙 빼닮았지만, 유독 성
격만큼은 정태만을 복사한 듯 닮은 것이다.

과거에는 그다지 문제될 것이 없었다.

하지만 지금은 저 성격이 바로 재중과 자신들의 사이를 가

로막는 벽이 되리라는 것을 윤지율도 어렴풋이 느끼기 시작했다.

*　　　*　　　*

"괜한 짓을 해버렸군."

자신의 방으로 돌아온 재중은 냉장고에서 물을 꺼내 한 모금 마셨다.

그러면서 평소의 자신이라면 결코 하지 않았을 짓을 한 것에 대해 곧바로 후회했다.

정태만의 아내와 딸을 크루즈까지 데리고 온다는 것은 처음 재중의 계획에 전혀 없었던 일이다.

—마스터, 정말 괜찮으시겠어요?

재중이 방에 들어오자 곧바로 재중으로 변신해 있던 테라가 본래의 모습으로 돌아와 슬쩍 물었다.

하지만 재중은 그저 웃을 뿐이었다.

—지금이라도 그냥 어디 산속에 던져 버리고 올까요?

재중이 지금 후회하면서도 굳이 정태만의 흔적인 그 모녀를 데리고 왔는지 테라도 머리로는 이해를 하고 있었다.

하지만 테라에게는 재중의 모든 것이 우선이었다.

그래서 재중이 후회한다면 차라리 자신이 나서서라도 과

거의 흔적을 되도록 멀리 떨어뜨려 놓고 싶었다.

"드래곤 블러드의 각성으로 이제 내 몸에서는 인간의 피가 사라졌다고 생각했는데… 후후후훗. 끈질기구만, 핏줄이란 건."

—마스터…….

재중이 이렇게까지 분위기가 가라앉는 경우는 거의 없기에 테라는 걱정스러운 눈빛이다.

테라는 지금 재중에게는 위로의 말보다 그저 옆에서 지켜보는 것이 더 도움이 된다는 것을 이미 경험으로 알고 있다.

그리고 그런 테라의 판단이 정확한 듯했다.

조금 시간이 흐르자 재중은 다시 무뚝뚝한 표정이긴 하지만 평소의 모습과 비슷하게 돌아와 있었다.

"테라 너도 이만 가서 쉬어라. 내 대신 선상 파티에서 피곤했을 텐데."

재중은 후회를 할지언정 이미 자신이 선택한 것을 포기하진 않는 성격이다.

재중이 잠깐 쉬려고 소파에서 일어서는데, 테라가 예상치 못한 말을 했다.

—선상 파티 아직 안 했는데요?

"응?"

일어서던 모습 그대로 갑자기 몸이 정지한 재중이 천천히 테라를 돌아봤다.

―선상 파티는 밤 11시부터 한다고 연락 왔어요, 마스터.

"밤 11시?"

재중이 순간 고개를 돌려 창가에 걸린 커다란 시계를 보았다.

시계는 정확하게 10시 30분을 가리키고 있었다.

"젠장!"

재중의 입에서 곧바로 본심이 섞인 투정이 튀어나와 버렸다.

―전 마스터께서 내일쯤 오시려나 보다 했죠.

"아, 어쩔 수 없는 건가."

사실 재중도 일이 생기든 생기지 않든 한국에서 하루 정도 머물고 올 계획이었다.

그런데 뜻하지 않게 삼합회가 빠르게 움직이고 말았던 것이다.

거기다 윤지율의 진심이 재중을 움직이는 바람에 완전 생각지 못하게 일이 빠르게 끝나 버렸다.

그렇게 전혀 생각지도 못한 일들이 이어진 결과가 지금 이것이다.

―마스터, 싫으시면 그냥 제가 갈까요?

겨우 회복한 재중의 분위기가 다시 가라앉을까 봐 걱정이 된 테라가 슬쩍 물어봤다.

하지만 재중은 고개를 저었다.

"아니다. 연아와의 첫 파티에 참석하는 건데… 잔머리 굴린 내가 바보인 거지."

사람들이 북적이는 것을 그다지 좋아하지 않는 재중이었다.

재중에게 가장 싫어하는 것을 꼽으라면 클럽이 1위, 그리고 2위가 바로 파티이다.

파티가 2위가 된 것도 모두 대륙에서의 경험 때문이다.

사실 재중이 기억하는 파티는 문란한 성문화가 고스란히 드러난 것이었다.

말만 파티지 서로 원나잇 하고 싶은 남녀가 만나는 소개팅에 가까웠다.

뭐 처음에야 재중도 힘든 현실을 잊기 위해 파티에 참석해서 여자를 안긴 했다.

하지만 곧 그것도 질려 버릴 수밖에 없었다.

놀이 문화가 거의 없다시피 한 대륙에서 성인식을 치른 남녀가 만나면 할 것은 오직 한 가지뿐이었으니 말이다.

하지만 재중의 위치가 문제라면 문제였다.

파티에 참석하는 순간 수많은 귀족가의 영애뿐만이 아니라 미망인들도 들러붙은 것이다.

결국 재중은 오히려 파티에 질리다 못해 진저리가 나버렸고, 그 후로 웬만하면 파티는 거의 참석하지 않게 되었었다.

뭐랄까, 트라우마 같은 것이라고 해야 할까.

연아와의 첫 파티 참석이지만 재중으로서는 그다지 가고 싶은 마음이 들지 않는 것도 어쩌면 당연했다.

―옷 준비할까요?

"응."

시간이 얼마 남지 않은 것을 확인한 재중은 곧바로 침실로 들어갔다.

재중이 테라가 꺼내준 산뜻한 정장으로 갈아입자마자 밖에서 노크 소리가 들렸다.

똑똑.

"들어와."

"오빠, 곧 파티 시작이야. 어서 가자."

연아는 어깨와 가슴이 살짝 드러난 이브닝드레스를 입고 있었다.

연아가 환하게 웃으면서 재중의 곁으로 오더니 팔짱을 꼈다.

"녀석하고는. 그렇게 좋아?"

"당연하지~ 알래스카에 살 때도 파티라고는 세 번 정도밖에 참석을 못 해봤거든."

"그럼 오늘 재미있게 놀아라."

어릴 때부터 마켓 일을 도우면서 자라온 연아였다.

파티에 가고 싶어도 자신을 키우기 위해서 땀을 흘리고 있는 양부모님을 두고 차마 갈 수가 없었을 것이 뻔했다.

재중은 그런 연아의 마음을 이해했기에 머리를 쓰다듬으면서 말했다.

"헤헤헤."

살짝 혀를 빼물면서 웃는 연아이다.

그리고 뒤이어 연아와 비슷한 디자인의 새하얀 색이 잘 어울리는 천서영이 들어왔다.

살짝 검은 피부에 어울리는 노란 이브닝드레스를 입은 캐롤라인은 확실히 들어오는 순간부터 존재감 하나만큼은 대단했다.

세계적으로 알아주는 모델이기 때문에 옷을 어떻게 입어야 하고 어떻게 걸어야 하는지조차 익숙한 그녀였다.

그녀에게 파티는 어쩌면 홈그라운드나 마찬가지일지도 몰랐다.

그 뒤로 들어온 일행은 나름 이브닝드레스를 입긴 했지만 역시나 태어나 처음 입어보는 옷이다 보니 다들 어색한지 눈치만 보기 바쁜 모습이다.

"오늘은 오빠가 날 에스코트해 줘야겠어."

"……?"

팔짱을 끼고 떨어질 줄 모르는 연아의 말에 슬쩍 쳐다봤다.

"오빠에게 첫 파티 여성이 나인 게 불만이야?"

심드렁하게 재중에게 한마디 하는 연아를 본 재중은 피식 웃었다.

"무슨 그런 섭섭한 말을 하니?"

"호호호홋~ 그래야지. 나 정도 미인이 같이 가주겠다는데 말이야."

그러면서 연아는 슬쩍 고개를 돌려 천서영과 캐롤라인에게 미안함이 가득한 눈빛을 보냈다.

재중은 몰랐지만 파티를 기다리면서 천서영과 캐롤라인은 연아의 방에서 나름 심각한 고민을 했다.

누가 재중의 에스코트를 받느냐 하는 것으로 말이다.

어떻게 보면 별것 아닌 것처럼 보인다.

하지만 연적인 천서영과 캐롤라인 두 사람이었다.

재중의 에스코트를 받는 것만으로도 은근히 상대보다 우위에 설 수 있다는 자신감을 드러낼 수 있었다.

그러다 보니 연아가 굳이 부르지도 않았는데 캐롤라인이 먼저 연아를 찾아오고 뒤이어 천서영도 연아의 방에 찾아왔다.

그렇게 여자들끼리 머리를 맞대고 고민한 결과 연아가 재중의 팔짱을 끼고 파티에 입장하는 것이었다.

'미안해요, 서영 씨, 캘리 씨.'

연아는 차마 재중이 고자라는 말을 그녀들에게 하지 못했다.

우선은 여동생이라는 것을 앞세워서 급한 대로 자신이 재중과 파티에 입장하는 걸로 결론을 내렸다.

그리고 연아 입장에서는 걱정되는 것도 있었다.

그나마 재중 곁에 있는 여자라고는 캐롤라인과 천서영뿐이었다.

그런데 이번 파티에 둘 중 어느 한쪽이 재중 곁에 섰다가 다른 쪽이 기분이 상해서 떠나가면 어쩌냔 말이다.

남자들의 자존심만 쓸데없이 센 게 아니다.

여자도 나름의 자존심이 있었다.

자신의 자존심을 위해 때로는 인생에서 커다란 것을 포기하는 경우도 있을 만큼, 여자도 자존심 앞에서 무섭게 냉정하다.

특히나 미친 듯이 좋아하다가도 어느 날 갑자기 남자의 곁을 미련없이 떠나는 게 여자라는 것을 연아는 너무나 잘 알고 있었다.

같은 여자이기 때문이다.

그러다 보니 이것이 연아가 생각하는 나름 최선의 해결책이었다.

조금 이기적인 판단일 수도 있었다.

하지만 여자에게 관심이 없는 재중의 곁에 한 명이라도 여자가 더 있어야만 그나마 장가갈 확률이 있을 테니 말이다.

'이 바보 같은 오빠야, 제발 장가 좀 가라. 응? 아이구, 내가 오빠 때문에 늙는다, 늙어.'

겉으로는 재중을 보면서 환하게 웃고 있지만, 재중을 볼 때마다 복장이 터지는 연아였다.

그런데 갑자기 복도를 걷던 재중이 멈추더니,

콩~

느닷없이 연아의 이마를 손가락으로 튕겨서 때린다.

"아얏! 오빠, 왜 그래?"

뜬금없는 재중의 행동에 연아뿐만이 아니라 뒤에서 오던 천서영과 캐롤라인도 멀뚱하니 쳐다볼 수밖에 없었다.

하지만 그러거나 말거나 재중은 연아를 가만히 쳐다보다가 입을 열었다.

"쓸데없는 짓 하지 말고 너나 시집가라."

"헙!!"

한순간 자신의 모든 것이 들켜 버리자 놀란 연아가 눈을 동그랗게 뜨고 재중을 쳐다봤다.

하지만 재중은 그저 씨익 웃고는 다시 가던 길을 걷기 시작한다.

"…오빠."

"왜?"

"어떻게 안 거야?"

그리 거창한 일은 아니다.

하지만 무엇보다 자신의 은밀한(?) 계획을 재중이 알아챈 것이 신기한 연아가 물어봤다.

"아무리 오래 떨어져 있어도 넌 내 동생이야. 그리고 난 오빠고."

"말 돌리지 말고. 응?"

재중이 대답하기 싫어서 말을 돌린다고 생각한 연아가 팔짱 낀 어깨를 흔들면서 다시 물어봤다.

"넌 뭔가 꿍꿍이가 있으면 귓불을 만지는 버릇은 여전하더라?"

"헛!!"

어이쿠!

연아는 순간 너무 놀라서 자기 발에 걸려 넘어질 뻔했다.

알래스카의 양부모도 연아가 뭔가 고민이 있거나, 아니면 혼자서 일을 해결하려고 괜히 용쓰는 것을 알아차리면 저렇게 말했었다.

연아는 설마 재중이 똑같은 말을 할 줄은 생각조차 해본 적이 없어 순간 놀라 발이 꼬여 버린 것이다.

"칠칠맞기는."

재중은 별것 아니라는 듯 말하면서 살짝 팔을 들어 넘어지려는 연아의 균형을 바로잡아 줬다.

반면 연아는 놀란 표정을 지울 수가 없었다.

"오빠, 그걸 어떻게 알았어?"

연아는 자신이 넘어질 뻔한 것보다 재중이 그걸 기억하고 있다는 것이 더욱 신기해 물어봤다.

재중은 그저 웃기만 했다.

오랜 세월 동안 천천히 머릿속에서 연아에 대한 기억 대부분이 사라진 재중이었다.

연아를 찾아 헤매면서 세월이 흐르다 보니 재중도 지쳐 가면서 하나씩 잊힌 것이다.

하지만 대륙에서 드래곤의 피가 각성하는 순간, 재중의 심연 깊은 곳에 잠들어 있던 기억들이 모두 떠올라 버렸다.

당연히 그 기억 속에는 자신이 잊고 지내던 어린 시절 연아의 작은 습관도 고스란히 들어 있었다.

마치 드래곤이 망각을 모르는 존재라는 것이 정말이라는 것처럼 말이다.

"내 동생이니까."

"치잇! 정말 오빠는 이상한 데서 감동시키는 나쁜 버릇이 있다니까."

살짝 코끝이 찡해진 연아가 멋쩍은 듯 웃었다.

그리고 뒤에서 그 모습을 본 천서영과 캐롤라인은 흐뭇하게 웃으면서도 한편으로는 조금 서운하기도 했다.

어째서 저런 모습을 자신들에게는 보여주지 않는지 약간의 원망도 섞여 있다.

Chapter 13
앙큼한 계획

"와우~ 사람 진짜 많다."

비록 선상 파티였지만 제법 공간이 넓었다.

캘리호가 자랑하는 것 중 하나가 크루즈 중간에 있는 커다란 넓이의 오픈 공연장이었다.

대부분 여기서 선상 파티를 한다.

비가 오거나 날씨가 좋지 않은 날은 어쩔 수 없이 실내 연회장을 쓰긴 한다.

하지만 아무래도 밤바다를 함께 즐길 수 있는 하늘이 뻥 뚫린 오픈 공연장에 비할 수는 없었다.

파티에 들어가기 위해 입구에 도착하자 승무원들이 웃으면서 일행을 맞이했다.

물론 형식적이지만 들어갈 때 자신이 묵고 있는 방 키를 확인한다.

다만 바다 한가운데에서 다른 불청객이 들어올 일은 거의 없다 보니 그저 파티를 참석하는 승객들에게 인사하는 게 주 업무로 바뀌었다.

"와, 사람이 이렇게 많았나?"

크루즈가 워낙에 크다 보니 사람이 많을 것이라고 예상은 했다.

하지만 예상보다 더 많았다.

사정이 있는 사람들을 빼고는 대부분 파티에 참석하다 보니 마치 한여름 휴가철에 해운대에 온 것 같은 기분이 들었다.

"아마 오늘 개인적인 사정이 있는 사람 외에는 대부분의 승객이 파티에 참석할 거예요."

캐롤라인이 사람이 너무 많아서 놀라고 있는 연아에게 살짝 설명해 주었다.

"왜요? 이유가 있어요?"

자신들이야 파티가 궁금해서 온 것이다.

하지만 살짝 훑어보기만 해도 파티가 익숙해 보이는 사람이 대부분이었다.

"예의니까요."

"예의요?"

"본래 크루즈는 선장의 책임이 막중해요. 선장의 판단 잘
못으로 이 거대한 크루즈가 가라앉기도 하고 때로는 엉뚱한
곳으로 가기도 하죠."

캐롤라인의 설명에 연아도 당연하다는 듯 고개를 끄덕였
다.

배를 타보지 않은 연아조차도 배에서 선장이라는 위치와
의미, 그리고 책임이 얼마나 중요한지 잘 알고 있으니 말이
다.

"그래서 크루즈를 탄 승객들은 선장이 주최하는 선상 파티
만큼은 특별한 일이 없다면 대부분 참석하는 거예요. 선장에
게 자신들의 생명과 안전을 부탁한다는 뜻으로 말이에요. 그
냥 서로를 존중해 주는 예의라고 생각하면 돼요."

"아아, 선장이 승객들에게 인사하는 것처럼 승객들도 선장
에게 인사하는 그런 파티라는 거군요?"

연아가 똑바로 이해하자 캘리는 싱긋 웃었다.

"맞아요. 그래서 이렇게 사람이 많은 거예요. 하지만 아마
본격적으로 파티가 시작되면 사람이 많이 빠질 테니 파티를
즐기는 데는 크게 문제 없어요."

"……?"

지금 이렇게 사람이 많은데 캐롤라인은 곧 파티가 본격적으로 시작되면 사람들이 빠져나갈 거라고 장담하듯 말했다.

연아가 고개를 갸웃거리자 캐롤라인은 설명하려다가 그만두었다.

"이런, 선장님이 나오셨네요."

이 선상 파티의 주최자이자 세계에서 다섯 번째로 큰 크루즈 캘리호의 선장을 맡고 있는 남자가 모습을 드러냈다.

50대 후반의 그는 선장이라는 것을 한눈에 알 수 있는 정복을 입고 있었다.

이곳을 가득 메운 모든 사람이 선장의 모습을 볼 수 있도록 단상이 조금 높게 설치되어 있기에 그가 등장하자 금방 알 수 있었다.

"반갑습니다! 제가 이 캘리호의 선장인 빈센트 라이테입니다!"

"와!!"

짝짝짝짝짝!!

선장이 자신의 이름을 밝히면서 인사하자 약속이나 한 듯 파티장에 모인 모든 사람이 반가움에 환호성과 함께 힘차게 박수를 쳤다.

연아도 얼떨결에 같이 환호를 지르면서 박수를 쳤지만 의

미를 전혀 모르고 있는 듯했다.

"서로 인사를 나누는 의미의 파티이니 모두 즐겨주셨으면 합니다. 그리고 저는 밤눈이 아주 밝은 편이니 혹시라도 선미에서 사랑을 나누시면 안 됩니다."

"우하하하하하!!"

"선장님, 굿입니다!!"

조금은 민망하지만 익살스런 선장의 말에 파티의 분위기가 순식간에 부드러워졌다.

그 후로도 선장이 몇 마디 더 했지만 모두 파티 분위기를 띄우기 위한 농담이 대부분이었다.

그리고 정말 캐롤라인의 말대로 선장이 단상에서 내려가자 그 많던 사람이 뿔뿔이 흩어졌다.

순식간에 파티장이 조금 전과 확연히 다른 모습이 되었다.

"…캘리 씨 말대로… 네요."

연아가 캐롤라인을 보면서 말했다.

"상호 예의로 인사를 하기 위해서 모였을 뿐이니까요. 하지만 이제부터 여기 있는 사람은 모두 파티를 즐기기 위해서 남은 사람들이니까 즐겁게 놀면 돼요."

캐롤라인이 시범을 보이려는 듯 한 발짝 먼저 앞으로 나서서 파티장 안으로 들어갔다.

"헉, 캐롤라인이다!"

"어~ 진짜네?"

지금까지 사람들이 너무 몰려 있어서 뒤쪽에 있던 캐롤라인이었다.

하지만 그녀가 앞으로 나서자 불과 1분 만에 사람들이 그녀를 알아보기 시작했다.

거기다 일부 남자는 손에 샴페인을 들고 캐롤라인이 누구와 왔는지 살피기까지 하는 모습이다.

"아가씨, 오랜만입니다."

"리온 아저씨."

익숙한 목소리에 고개를 돌린 캐롤라인은 선장의 애칭을 부르면서 반갑게 맞아주었다.

실질적인 캘리호의 주인인 캐롤라인이기에 선장과도 막역한 사이인 듯했다.

허물없이 다가온 선장이 캐롤라인을 안아 들자 거리낌 없이 선장의 품에 잠시 안겼다가 떨어진다.

"1년 만인가요?"

"호호홋, 뭐 한동안 파리에 있어서 바빴으니까요."

거의 대부분을 파리에서 보내는 캐롤라인이기에 특별한 일이 없는 한 선장도 얼굴 보는 게 힘든 편이다.

하지만 선장은 어린 시절부터 캐롤라인을 알고 있는 사람이었다.

그래서 시우바 회장 다음으로 캐롤라인이 가장 할아버지처럼 따르는 사람이기도 했다.

"이제 시집가셔도 되겠군요."

농담 반 진담 반이 섞인 선장의 말에 캐롤라인은 싱긋 웃었다.

"그보다 회장님께 일행이 있다고 들었는데… 혹시 이분들입니까?"

한발 앞서 캐롤라인의 뒤를 따라오던 연아부터 일행이 모두가 도착하자 선장이 뭔가를 찾는 듯 유심히 살펴보았다.

그러다 재중을 보고는 한동안 시선이 멈췄다.

그리고 다시 캐롤라인을 보더니 뭔가 의미를 알 수 없는 웃음을 보이는 게 아닌가?

"후후훗."

"또 그렇게 웃으시네요, 리온 아저씨. 그렇게 웃으면 여자들이 싫어한다고 제가 말했죠?"

"후후후훗, 아직 절 좋아하는 레이디가 많아서 괜찮습니다. 그보다 저분인가요?"

슬쩍 재중을 보면서 캐롤라인에게 묻자,

"뭐……."

확실하게 대답하진 않았지만 대신 선장만 볼 수 있는 각도에서 살짝 고개를 끄덕이는 캐롤라인이다.

"후후훗, 그럼 좋은 시간들 보내세요, 여러분."

선장은 시우바 회장이 신경 쓰는 사람이 누군지 궁금했기에 찾아왔을 뿐이었다.

간단하게 인사를 하고는 바로 빠져나간다.

젊은 남녀들이 모이는 파티에 다 늙은 자신이 끼는 것이 실례라는 듯 차분하면서도 부드럽게 말이다.

선장이 떠난 뒤, 일행은 테이블 하나를 차지하고 자리를 잡았다. 사람이 많으니 테이블이 꽉 찼다.

의례적으로 하는 파티라고 생각했는데 나오는 음식을 보고는 다들 너무 놀라서 입을 다물지 못했다.

랍스타부터 시작해서 해산물은 기본이고 통돼지 바비큐는 옵션이었다.

거기다 음식을 다 먹으면 같은 음식이 리필되는 것이 아니라 전혀 다른 음식이 새로 나와서 사람들을 유혹하기까지 했다.

일반적인 뷔페나 패밀리 레스토랑처럼 정해진 메뉴가 계속 돌아가면서 나오는 것에 익숙한 카페 식구들에게 뷔페의 새로운 세상을 보여주었다.

"아, 배불러."

하지만 역시나 여자들이다 보니 먹는 데도 금방 한계를 보였다.

신나게 먹었지만 끝도 없이 나오는 음식 앞에서는 아무리 엄청난 먹성을 자랑하는 사람이라고 해도 먼저 쓰러지는 건 음식이 아니라 사람일 수밖에 없었다.

"엄마, 나 배부르고 졸려."

가장 왕성하게 음식을 먹어치우던 비아가 졸린 눈을 비비면서 전희준의 곁에서 칭얼대기 시작했다.

배가 부른 것도 있지만 선상 파티가 워낙에 늦은 시간에 시작하다 보니 그런 듯했다.

"그래? 들어갈까?"

"응. 나 졸려."

전희준이 졸립다고 칭얼대는 비아를 데리고 방으로 돌아가려고 하자,

"아, 배불러. 나도 이제 가서 좀 쉴래요."

"언니, 나도."

유혜림과 유새민 자매도 덩달아 따라나선다.

"아, 나도 그만 가서 좀 쉬어야겠어. 너무 돌아다녔더니 피곤해."

그리고 연아까지 슬쩍 천서영과 캐롤라인을 보면서 살짝 윙크를 하더니,

"우리 비아 잠 오니?"

졸려서 전희준의 손을 잡고 잘 가는 비아를 번쩍 안아 들더니 따라나서 버렸다.

재중은 그런 연아의 모습에 그저 웃을 뿐이다.

너무 뻔히 보이는 행동이었으니 말이다.

"훗, 쓸데없는 짓이라니까."

재중은 연아가 결코 포기하지 않았음을 알고 있었다.

자신이 장가가기를 바라는 마음에서 일부러 사람들과 함께 빠져줬다는 것을 말이다.

아니, 지금 상황을 보면 재중이 아니라도 눈치챌 수 있을 만큼 노골적이기도 했다.

그런데 의외라고 해야 할까?

본래 연아의 계획대로라면 재중과 천서영, 그리고 캐롤라인 외에는 모두 각자의 방으로 돌아가서 쉬었어야 했다.

그러기로 은연중에 여자들끼리 입을 맞췄었으니 말이다.

그런데 뭐랄까, 꼭 이런 상황에 타이밍을 놓쳐서 오도 가도 못하는 상황에 당황하는 사람이 한 명쯤은 있게 마련이다.

"다들… 갔어요?"

물론 그게 정태만의 마수에서 겨우 살아나 카페 식구가 된 유서린 본인이 될 줄은 몰랐지만 말이다.

해산물이라면 자다가도 벌떡 일어날 만큼 좋아하는 유서린었다.

파티에서 나오는 음식에 순간 머릿속이 리셋되어 버린 듯 먹는 것에 집중하다 보니 미리 입을 맞췄던 일은 아예 잊어버린 것이다.

그런데 역시 사람인 이상 먹다 보면 배가 부르고, 그럼 리셋된 정신도 돌아오는 법이다.

뒤늦게 정신을 차리고 보니 이상한 분위기가 흐르는 것을 느꼈지만 이미 늦은 상황이었다.

"…저도 그만……."

한참이나 늦게, 그것도 너무 티 나게 빠져나가려는 유서린이 어색하게 웃으면서 걸음을 돌리려는 순간,

"연아 때문이라면 그냥 있어도 돼요, 유서린 씨."

멈칫!

재중의 말에 발이 딱 붙어버렸다.

물론 재중이 유서린을 불러 세우는 순간 천서영과 캐롤라인은 속으로 안타까운 탄식을 흘려야 했지만 말이다.

"아, 아, 아니에요, 재중 씨. 배가 불러서 그만 저도 갈까 해요."

"훗, 그런데 손에 랍스타 꼬리는 왜 들고 있어요?"

"이크!"

유서린은 배부르다고 하면서 자신도 모르게 랍스타 꼬리를 들고 있었다.

고아원에서 살다가 정태만에게 뽑혀 연습생으로만 인생의 거의 대부분을 살아온 유서린이었다.

그러다 보니 의외로 식탐이 많은 편이었다.

연습생 시절에는 몸매 관리부터 시작해 밖으로 함부로 나가지도 못했다.

갇혀 지내는 것을 오히려 당연하다는 듯 받아들인 삶을 살았기에 더욱 그런지도 몰랐다.

그런데 가진 것 하나 없는 유서린이 가장 좋아하는 것이 하필이면 해산물이었다.

산지가 아니면 너무 비싸서 쉽게 먹어볼 수 없는 해산물 말이다.

특히 랍스타는 태어나서 오늘 처음 먹어보았으니 미련이 남는 것은 어쩌면 당연했다.

재중도 사실 신경 안 쓰는 척했지만 유서린이 뷔페 음식이 있는 곳에서 심하게 고민하는 모습을 계속 지켜보고 있었다.

보기에는 그냥 자기가 좋아하는 음식을 고르는 걸로 보일 수도 있다.

하지만 배고픈 삶을 살아본 재중은 유서린이 왜 그렇게 좋아하는 해산물 앞에서 심각하게 고민하고 있는지 너무나 잘 알고 있는 것이다.

자신이 먹을 수 있는 양은 한계가 있으니 최대한 많이 효율적으로 먹기 위해서라는 것을 말이다.

언뜻 이해가 가지 않을 수도 있지만, 유서린에게는 그것만큼 중요한 것도 없었다.

사실 그녀 인생에서 과연 크루즈 여행을 다시 해볼 수 있을까?

아마 평생 다시 없을 수도 있었다.

거기다 연예계 데뷔라는 꿈도 정태만에게 받은 충격 때문에 거의 접어버린 그녀였다.

그렇기에 더더욱 지금 이 순간이 중요한 것이다.

후회 없이, 나중에 꿈에서라도 후회하지 않을 만큼 먹기 위해서 고민에 또 고민을 할 수밖에 없었다.

그리고 그런 유서린의 생각과 행동을 너무나 잘 이해하는 재중이었다.

고아원을 뛰쳐나와 길거리 생활을 할 때 드물지만 음식을 풍족하게 먹을 수 있는 날이 있었다.

그럴 때면 재중도 유서린과 똑같이 어떻게 먹어야 가장 오래 배부르고 많이 먹을 수 있을지 고민했으니 말이다.

"연아가 이런 말 했죠? 내가 여자들과 오붓한 시간을 보낼 수 있게 도와달라고 말이에요."

"헛!"

아직 사회 경험이 적어서인지 유서린은 이미 표정으로 대답을 해버렸다.

"아차!"

그리고 뒤늦게 자신이 실수했다는 것을 깨달았는지 고개를 돌려서 안절부절못해한다.

재중이 보기에는 그저 귀여우면서도 한편으로는 안타까웠다.

정태만이라는 짐승만도 못한 놈이 저렇게 세상을 가리고 가둬서 키웠으니 말이다.

사실 재중이 유서린에게 나름 부드러운 것은 같은 고아라는 것도 어느 정도 있지만, 정태만에게 피해를 입었다는 동질감도 작용했다.

물론 재중의 이런 모습이 천서영이나 캐롤라인에게는 못마땅하게 보일지라도 말이다.

Chapter 14
데이빗 랜필드

재중귀환록

"이런, 시우바 영애께서 이렇게 홀로 계시니 파티가 너무 쓸쓸해지는군요."

　재중이 유서린과 이야기하는 사이 기다렸다는 듯 핸섬한 남자 하나가 캐롤라인에게 다가와 부드럽게 말을 건넸다.

　"아, 네."

　캐롤라인은 지금 재중이 유서린에게 보이는, 자신에게는 보여준 적 없는 부드러움 때문에 짜증이 나 있는 상태였다.

　그래서 접근하는 남자가 그다지 반갑지가 않았다.

　하지만 남자는 얼굴에 철판을 깔았는지 접대용 미소를 환하게 보이면서 다시 말했다.

"데이빗, 데이빗 랜필드라고 합니다."

"아, 랜필드 가문의?"

캐롤라인은 지금 재중 때문에 짜증이 나 있긴 했지만, 자신의 감정을 컨트롤하는 것에 이미 익숙한 사람이다.

캐롤라인은 데이빗의 이름을 듣는 순간 자연스럽게 아는 척을 했다.

"저희 가문을 아시는군요?"

"그야 랜필드 가문이라면 모를 수가 없죠."

캐롤라인이 아는 체하는 모습에 데이빗은 기분이 좋아졌다.

지금까지 데이빗이 자신의 가문을 말했을 때 모르는 경우는 정말 평범한 사람뿐이었으니 말이다.

미국에서 석유 사업을 크게 하는 랜필드 가문이기에 가문에서 축적한 부가 일반인들이 상상하기 힘든 수준이었다.

그러다 보니 그저 기분 전환 겸 크루즈 여행을 하는 것도 마치 동네 산책 가듯 하는 데이빗이다.

"그런데 론도의 동생 분인가요?"

와락!

캐롤라인이 갑자기 론도라는 이름을 꺼내자 데이빗은 순간 빠르게 미간을 찌푸렸다가 곧바로 풀었다.

물론 파티장이 조금 어둡다 보니 캐롤라인은 눈치채지 못했지만 말이다.

"하하하, 론도 형님을 아시는군요?"

"네, 론도 디자이너님의 패션쇼를 한 적이 있어서요."

"아~ 역시 형님이십니다. 시우바 영애와 친분이 있었다니요."

말로는 자신의 형인 론도를 치켜세우고 있지만 속으로는 처음 캐롤라인이 가문을 알아봐서 날아오르던 기분이 순식간에 땅바닥으로 처박혀 버린 데이빗이다.

랜필드 가문의 장남인 론도 랜필드.

데이빗이 하루에도 수십 번, 아니, 수천 번이나 왜 자신이 동생으로 태어났는지 하늘을 원망할 수밖에 없도록 만드는 사람이기도 했다.

천재, 수재라는 말이 저절로 생각나는 사람이 바로 론도 랜필드였다.

반대로 데이빗을 떠올리는 사람은 모두 한결같이 입을 모아 말하길 가문에 잘못 태어난 희대의 망나니였다.

어릴 때부터 하나를 가르치면 열을 아는 론도와 달리, 데이빗은 하나를 가르치면 그 하나마저도 매번 잊어버려 비교되곤 했다.

론도는 취미 삼아 그린 디자인이 파리에서 대상을 받아 아르바이트로 파리 패션쇼를 할 만큼 천재 중의 천재였다.

캐롤라인과 론도가 만난 것도 바로 파리에서 패션쇼를 할 때였던 것이다.

'젠장! 어딜 가나 론도! 론도! 론도!! 론도!! 젠장!!'

겉으로는 완벽하게 웃고 있지만 지금 데이빗은 속으로 캐롤라인을 향해 온갖 욕설을 다 하고 있는 중이었다.

다만 지금 이렇게 웃으면서 참고 있는 것은 모두 어떻게든 캐롤라인을 꾀어서 오늘 밤 자신의 위대함을 보여주겠다는 생각 그것 하나 때문이다.

그때, 유서린을 달래서 다시 음식 쪽으로 보낸 재중이 고개를 돌렸다.

재중은 다가와 있는 데이빗을 보고는 눈살을 찌푸렸다.

"너무 노골적이군."

재중의 눈에는 데이빗의 몸에서 강렬하게 뿜어져 나오는 색욕이 가득한 오라의 색이 선명하게 보였다.

슬쩍 캐롤라인을 보니 그녀도 데이빗의 그런 속내를 알고 있는 듯했다.

재중의 그런 짐작은 정확했다.

캐롤라인도 처음에 랜필드 가문이라고 했을 때는 바로 떠올리지 못했었다.

하지만 론도 랜필드의 동생이라는 말을 듣자마자 캐롤라

인의 뇌리를 스치는 단어는 오로지 한 가지였다.

'랜필드의 망나니였군.'

데이빗 랜필드라면 여자라면 유부녀도 어떻게든 품에 안아야 직성이 풀린다는 희대의 망나니다.

그런 데이빗이 자신에게 치근덕거리는 게 기분 좋을 리가 없었다.

오죽하면 데이빗의 이름을 들었을 때는 모르고 가만히 있던 천서영도 론도 랜필드의 동생이라는 말을 듣자마자 슬쩍 자리를 피했겠는가?

이미 망나니 짓이 도를 넘어서 가문에서도 포기했다는 말이 들릴 정도였다.

그만큼 구제불능이 바로 데이빗 랜필드였다.

"재중 씨."

살짝 자리를 빠져나온 천서영은 상대가 어떤 놈인지 뻔히 알고서도 가만히 있을 수가 없었다.

재중에게 슬쩍 다가간 천서영이 귓가에 속삭이듯 데이빗 랜필드에 대해서 알려주었다.

그러면서,

"캘리 씨를 데리고 와야 해요. 저 사람 정말 위험한 사람이에요."

가문의 크기로 보면 시우바 가문과 랜필드 가문이 그다지 차이가 없어 보인다.

하지만 역사를 되돌아보면 시우바 가문은 시우바 회장이 홀로 일으켜 세운 신생 가문이다.

그것도 브라질에서 말이다.

하지만 랜필드 가문은 그 역사만 해도 벌써 600년이 넘어갈 만큼 오래되었다.

거기다 그 뿌리는 유대인이다.

그러다 보니 겉으로는 그저 석유 사업하는 재력가 가문이지만, 그 영향력은 실로 상상을 초월했다.

미국에서 유대인의 숫자는 530만 명으로 이스라엘 국가의 국민 560만 명과 맞먹을 만큼 엄청난 숫자를 가지고 있다.

하지만 정말 중요한 것은 단순히 인구수가 아니었다.

그들이 가지고 있는 권력이 정말 무서울 수밖에 없는 것이 미국의 현실이었다.

매년 열리는 AIPAC(미국이스라엘공공문제위원회)라는 행사에 미국 연방 하원의원의 2/3가 일부러 시간을 만들어서 참석한다.

그 정도로 유대인의 영향력은 미국에서만큼은 황제나 다름없었다.

거기다 미국의 대권 주자이던 후보 한 명은 공개적으로 만일 이란이 핵무기로 이스라엘을 공격한다면 지구에서 이란을 지워 버리겠다는 말을 하기도 했다.

그만큼 그들의 힘을 얻는 것이 바로 대통령이 되는 길일 정도로 미국에서 유대인의 파워는 상상을 초월했다.

재계에서는 미 경제지 포천이 선정한 100대 기업 소유주의 40%, 미국 내 백만장자 중 20%가 유대계이다.

특히 유대인은 금융에서 두각을 나타냈다.

헤지펀드의 대부 조지 소로스와 로이드 블랭크페인 골드만삭스 최고경영자(CEO) 겸 회장이 대표적이다.

정보기술(IT) 업계에선 래리 페이지와 세르게이 브린 구글 공동 창업자, 스티브 발머 마이크로소프트 전 CEO, 마이클 델 델컴퓨터 회장 겸 CEO, 마크 저커버그 페이스북 창업자 등이 꼽힌다.

스타벅스의 하워드 슐츠 회장 겸 CEO와 캘빈 클라인의 캘빈 클라인 창업자 겸 CEO도 유대계이다.

이 밖에 미국 주요 언론인 뉴욕타임스나 워싱턴포스트, 월스트리트저널이 유대 자본으로 경영된다는 것은 공공연한 사실이다.

또 미국의 7대 영화사 가운데 디즈니를 제외한 파라마운트, 엠지엠, 워너, 폭스, 유니버셜, 콜럼비아 모두 유대계가 세운 기업이라는 것은 이미 많은 사람이 알고 있는 사실이기도 했다.

그리고 랜필드 가문은 바로 그런 유대인 가문 중 하나였다.

경제 부분에서 유대인을 빼놓고 이야기한다는 것 자체가 사실상 불가능하다는 말이 그냥 나온 것이 아니었다.

천서영이 이처럼 재중에게 다급하게 부탁하는 것도 모두 그 때문이었다.

데이빗의 전화 한 통이면 사람을 죽여 잡혀 있다고 해도 전화를 끊음과 동시에 풀려날 수 있는 힘을 가진 가문, 그것이 바로 랜필드 가문인 것이다.

하지만 재중은 다급한 천서영과 달리 가만히 쳐다보기만 했다.

"재중 씨, 어서요."

천서영은 혹시라도 데이빗이 당장 캘리를 끌고 어디론가 가버릴까 봐 걱정이 되어 재촉했다.

하지만 재중은 그런 천서영의 어깨에 손을 살짝 얹으면서 달랬다.

"아직은 괜찮아요."

"네?"

마치 너무 잘 안다는 듯한 재중의 말투에 천서영이 오히려 놀라서 되물었다.

"가문의 힘만 믿는 놈들은 하는 행동이 똑같거든요."

"그게… 무슨 말이에요?"

천서영은 재중의 말을 이해 못하는 표정을 지었다.

재중은 그런 그녀를 두고 천천히 발걸음을 옮기기 시작했다.

*　　　*　　　*

"전 그만 쉬고 싶군요, 데이빗 씨."

"이런, 쉬고 싶으시다면 제가 안내를 해드리고 싶은데요, 시우바 영애."

데이빗은 아무리 좋은 말로 유혹하고 속칭 말발을 앞세워도 도무지 꿈쩍도 하지 않는 캐롤라인의 모습에 거의 한계치까지 짜증이 치솟아 있는 상태였다.

벌써 30분 넘게 온갖 미사구여를 동원해서 사탕발림을 늘어놓았다.

그런데 어찌 된 일인지 캐롤라인의 표정은 너무나 노골적으로 싫어하는 티가 났으니 말이다.

'젠장, 이년도 내 소문을 들은 모양이군.'

역시나 머리가 나쁜 녀석인지 그동안 전혀 모르고 있었던 것이다.

무려 30분 동안이나 꾀다가 도무지 넘어오지 않자 그제야 캐롤라인이 자신에 대해서 떠도는 소문을 들은 거라고 확신한 것만 봐도 소문의 망나니가 머리가 나쁘다는 것은 증명된 셈이었다.

반대로 캐롤라인은 론도의 동생이라는 것을 확인한 순간 이미 알고 있었지만 말이다.

"아니에요. 제 일행이 있으니 일행과 가면 돼요, 데이빗 씨."

캐롤라인은 그렇게 말하고는 끈질기게 달라붙는 데이빗을 지나쳐 자신이 있던 테이블로 돌아가려고 했다.

덥석!

하지만 데이빗이 캐롤라인을 쉽게 보내줄 리가 없었다.

"이게 무슨 짓이죠?"

파티에서 여자가 거절하면 보내주는 것이 남자의 매너였다.

그런데 그것을 무시하고 계속 매달렸다.

심지어 그것도 모자라 여자가 가는 것을 막기 위해 손목을 잡는 것은 정말 비매너 중의 비매너였다.

물론 그딴 것은 이미 처음부터 안중에 없는 데이빗이기도 했지만 말이다.

"제가 안내를 해드리고 싶다는데 거절하시는 건 좀 너무한 것 같군요, 시우바 영애."

조금 전까지 접대용으로 웃던 데이빗의 미소가 어느새 탐

욕과 색욕에 번들거리는 음흉한 웃음으로 변해 있었다.

변해 버린 데이빗의 모습을 보고는 캐롤라인이 인상을 찡그렸다.

"정말 랜필드 가문에 실망이군요."

그래도 이곳은 파티장이다.

데이빗이 이렇게 막무가내로 나온다고 캐롤라인까지 막무가내로 나간다면 결국 누워서 침 뱉는 꼴이 된다.

캐롤라인은 기분이 아무리 더러워도 최대한 침착하면서도 정중하게 말했다.

"꼭 제가 강제로 끌고 안내를 해야겠습니까, 시우바 영애?"

결국 인내력이 끊어져 버린 데이빗이 대놓고 협박하자 캐롤라인도 곧바로 표정이 굳어졌다.

랜필드의 망나니라고 듣긴 했지만, 설마 이 정도로 개차반일 줄은 몰랐다.

파리에서는 거의 대부분 패션쇼장에 머물렀기에 랜필드 가문에 데이빗 랜필드라는 개망나니가 하나 있다는 것을 소문으로만 들었다.

하지만 설마 이 정도일 줄은 캐롤라인도 전혀 예상하지 못했기에 당황하면서 자연스럽게 표정이 굳어질 수밖에 없었다.

"이리로 오시죠, 시우바 영애."

데이빗이 잡고 있던 캐롤라인의 손목을 힘으로 당겼다.

휘청~

모델 생활을 해서 보기에는 좋은 몸매지만 사실 힘이라고
는 그다지 없는 캐롤라인이다.

그런데 힘없이 끌려간 캐롤라인이 데이빗의 품에 안기기
직전,

멈칫!

"응? 뭐지?"

데이빗은 캐롤라인의 풍만한 가슴과 가냘픈 허리가 곧 자
신의 품에 들어올 것이라는 생각에 웃으면서 손을 뻗었었다.

그런데 어찌 된 일인지 캐롤라인의 몸이 오다가 멈춰 버린
것이다.

"이런 썅!"

슬쩍 눈동자를 돌려 허공에서 멈춰 버린 캐롤라인의 뒤를
보고는 자신도 모르게 욕지거리가 튀어나와 버린 데이빗이
다.

"재중 씨?"

저 더러운 짐승에게 자신의 몸이 닿는다는 것 자체가 소름
끼치게 싫었던 캐롤라인은 자신도 모르게 눈을 질끈 감았다.

그런데 시간이 지나도 딱히 닿는 게 없어 캐롤라인은 뭔가

이상한 느낌에 눈을 떴다.

돌아보니 뒤쪽에서 재중이 자신의 팔을 잡고 있었던 것이다.

"넌 뭐야?"

다 된 밥에 코 빠뜨려도 유분수지, 거의 밥이 다 되서 떠먹기만 하면 되는 상황에 갑자기 흙을 뿌린 것 같은 기분을 느낀 데이빗이었다.

데이빗이 버럭 화를 내면서 다시 캐롤라인을 힘껏 당겼다.

하지만 꿈쩍도 하지 않는다.

무려 190센티미터의 키에 주짓수를 취미로 배워서 시합에서 우승할 만큼의 실력을 가지고 있는 데이빗이었다.

그로서는 지금 이 상황이 이해가 가지 않는 것이다.

자신이 지금까지 힘으로 누군가에게 밀려본 적이 없는데, 아무리 당겨도 캐롤라인의 몸은 꿈쩍도 하지 않았으니 말이다.

"이제 그만 놔라."

그리고 놀랍게도 재중의 이 말이 끝나자마자,

찌릿!

데이빗은 순간 손이 감전이라도 된 듯한 찌릿한 느낌을 받았다.

그리곤 캐롤라인의 손목을 잡고 있던 손을 스스로 놓아버렸다.

"뭐야, 이건?!"

지금까지 느껴본 적이 없는 찌릿함이었다.

데이빗은 캐롤라인의 손을 놓은 지금도 손에 감각이 남아 있는 것을 느꼈다.

데이빗이 고개를 쳐들고 재중을 보면서 소리쳤다.

"원숭이 새끼가!! 겁도 없이!!"

동양인을 가리켜 가장 많이 하는 인종 차별 발언도 서슴지 않는 데이빗이었다.

그리고 이쯤 되자 주변에서도 분위기가 심상치 않다는 것을 느낄 만큼 데이빗의 행동은 이미 도를 넘은 상태였다.

그러다 보니 자연스럽게 주변의 시선도 모이기 시작했지만 그게 전부였다.

주변 시선 중에 데이빗을 알아본 사람이 몇몇 있긴 했지만, 랜필드 가문이 무서운지 나서는 이는 없는 것을 보면 말이다.

"재중 씨, 그냥 가요."

데이빗보다는 랜필드 가문이 껄끄러운 캐롤라인이 재중의 팔짱을 끼고 그냥 가려고 했다.

하지만 그걸 그냥 보내줄 데이빗이 아니었다.

"원숭이! 꼬리 흔들면서 그냥 가는 거냐?"

일부러 재중을 자극하는 말을 서슴없이 하는 데이빗이었다.

캐롤라인을 따라 발걸음을 옮기려던 재중의 몸이 멈춰 버렸다.

"재, 재중 씨?"

캐롤라인은 재중이 갑자기 멈추자 불안한 생각에 다시 힘껏 잡아당겼다.

하지만 이미 재중 스스로가 멈추기로 했으면 세상 그 누가 와도 소용없다.

"저쪽으로 가 있어요."

"재중 씨, 안 돼요. 저 사람 가문이 얼마나 무서운데요."

사실 캐롤라인 정도만 되어도 웬만한 가문은 발아래로 두고 보거나 어느 정도 방어막이 되어줄 수 있다.

하지만 상대가 랜필드 가문이라면 상황이 달라질 수밖에 없었다.

정말 원한다면 국가 간의 전쟁도 일으킬 수 있는 힘을 지닌 가문, 그것이 바로 랜필드 가문이었으니 말이다.

"재중 씨, 안 돼요."

캐롤라인은 당연히 재중이 이런 배경을 전혀 모른다고 생각했다.

그렇기에 계속 재중의 팔을 잡고 잡아당길 수밖에 없었다.

툭~!

하지만 재중이 살짝 손목을 비튼 것만으로 캐롤라인은 허무하게 잡고 있던 손을 놓쳐 버리고 말았다.

"걱정 말고 천서영 씨 옆에 있어요."

"아, 그게 아니라 재중 씨, 안 돼요!"

캐롤라인이 재중을 다시 잡으려고 손을 뻗었지만 결국 아주 간발의 차이로 놓쳐 버렸다.

그리고 그것으로 재중은 데이빗에게로 가버렸다.

"캘리 씨, 걱정하지 말아요."

"네?"

"재중 씨는 절대로 지지 않으니까요."

"…지지 않는 그런 문제가 아니란 말이에요, 서영 씨."

캐롤라인의 생각은 간단했다.

가정은 두 가지다.

첫째는 재중이 데이빗을 묵사발로 만든다.

하지만 랜필드 가문에서 자신의 체면 때문이라도 재중에게 복수를 한다.

두 번째는 반대로 재중이 데이빗에게 죽도록 맞는다.

하지만 저 망나니의 소문이 사실이라면 재중의 목숨이 위험하다.

상황이 이렇다 보니 이겨도 죽고 져도 죽는, 재중에게는 최악의 결과만 남는 것이다.

"데이빗 랜필드라면 랜필드 가문의 망나니 맞죠?"

"응? 알고 있었어요?"

동양인을 인간 취급 안 하기로 유명한 데이빗이기에 캐롤라인은 천서영이 그를 모르고 있는 줄 알았다.

한데 의외로 알고 있는 것에 놀라서 물었다.

"재중 씨도 알고 있어요. 데이빗 랜필드가 어떤 사람인지요."

"정말요?"

"네."

"그런데 저길 자기 발로 간다구요? 안 돼요. 막아야 해요."

오히려 재중이 알고 갔다는 것에 화들짝 놀란 캐롤라인이었다.

캐롤라인이 다시 재중에게 가려고 발길을 돌렸지만 이번에는 천서영이 그런 그녀를 막아버렸다.

"서영 씨, 놔줘요."

캐롤라인은 사정하다시피 말하면서 천서영을 뿌리치려고 했다.

하지만 연약해 보이는 외모와 달리 어디서 그런 힘이 나오는지 도무지 뿌리칠 수가 없었다.

캐롤라인이 천서영과 실랑이하는 사이 결국 재중과 데이빗이 서로 마주 서버렸다.

"아, 늦었어요. 어떻게 해."

캐롤라인은 상황이 이대로 가면 어떻든 간에 재중이 위험하다는 판단을 내렸다.

결국 캐롤라인은 급히 주변의 직원을 불렀다.

"가서 선장님을 모시고 와요. 어서!"

"네? 선장님을요?"

파티 서빙을 하는 직원은 승무원 중에서도 가장 낮은 계급이다.

대부분이 초보인데 그런 자신에게 선장을 불러오라고 하자 오히려 직원이 당황하기 시작했다.

"가서 캐롤라인 시우바가 와달라고 했다면 선장님이 오실 거예요. 어서!"

"헛! 캐롤라인 시우바……!"

비록 직원은 초보이긴 했지만 캘리호에 탑승하게 되면 의무적으로 꼭 외우게 되는 이름은 기억하고 있었다.

그중에 하나가 귀에 들리자 직원은 화들짝 놀랐다.

그리곤 다시 캐롤라인의 얼굴을 확인하더니 두 번 놀라 버렸다.

"어서요!"

지금의 상황을 막을 수 있는 사람은 오직 한 사람뿐이었다.

캘리호에서 가장 높은 계급을 갖고 있고 운행 중에는 배의 안전을 위해서 승객에게 구금 명령까지도 내릴 수 있는 권한을 가진 자.

즉, 벤센트 라이테 선장뿐이라는 것을 생각해 낸 캐롤라인이었다.

"네, 아가씨!"

직원도 뒤늦게 캐롤라인을 알아보고는 곧바로 뛰어갔다.

하지만 현재 조타실에 있을 선장이 연락을 받고 바로 온다고 해도 최소 10분 이상 걸리는 거리였다.

할 수 있는 최대의 조치를 취했지만 캐롤라인은 전혀 안심이 되지 않았다.

반면, 뒤에서 안절부절못하는 캐롤라인과 달리 재중은 자신보다 조금 큰 키에 떡 벌어진 어깨를 가진 데이빗을 마주보고는 씨익 웃고 있었다.

"크크큭, 웃어? 내가 그렇게 웃기냐?"

데이빗은 그냥 생각 없이 한 말일 뿐이었다.

한데 재중은 너무나 당연하다는 듯 대꾸했다.

"자기가 웃긴다는 걸 아는 걸 보니 바보는 아닌 모양이군 그래."

"뭣?!"

재중의 간단한 도발에 데이빗의 주먹이 느닷없이 움직였다.

주먹은 재중의 턱을 노리고 빠르게 치솟았다.

휙!

하지만 정말 0.000001초의 찰나의 순간, 재중이 고개를 살짝 꺾으면서 닿기 직전 피해 버렸다.

"응? 뭔가 있는 놈이라 이거지?"

방금 불같이 화내던 데이빗의 표정이 순식간에 가라앉더니 입가에 미소가 그려지고 있다.

사실 방금 데이빗이 쳐올린 어퍼컷은 보통의 어퍼컷이 아니었다.

일반 어퍼컷은 일직선으로 주먹을 쳐올려 턱을 때리는 식이다.

하지만 데이빗이 방금 쳐올린 어퍼컷은 대각선으로 살짝 기울여서 한 것으로 복싱에서는 샤벨 훅이라는 이름으로 불리는 기술이다.

어퍼컷도, 그렇다고 훅도 아니다.

어퍼컷과 훅, 그 둘을 정확하게 섞어놓은 것 같은 이 기술은 실제로 미국의 전설적인 복서인 잭 뎀프시의 특기이기도 했다.

메너사의 살인자라고 불린 잭 뎀프시는 이 샤벨 훅으로 하루에 세 명을 KO시킨 기록이 있었다.

그만큼 뎀프시가 엄청난 사람이기도 했지만, 그가 즐겨 쓴 샤벨 훅이라는 기술이 또한 무섭다는 증거이다.

그리고 데이빗도 샤벨 훅을 즐겨 쓰는 편이었다.

오죽하면 싸움이나 상대를 제압할 때 가장 먼저 나가는 기술이 샤벨 훅이겠는가?

의도한 것이 아니라 몸으로 익힌 기술이다 보니 거의 본능에 가깝게 바로 튀어나간다.

데이빗의 이 샤벨 훅은 맞는 순간 정신을 잃고 깨어나면 병원 아니면 관 속이라는 말이 나돌 정도로 무서운 기술이었다.

그런데 재중은 그 기술을 그냥 피한 것이 아니라 끝까지 보고 피했다.

데이빗은 그것을 눈치챈 것이다.

"샤벨 훅인가?"

"크크큭, 원숭이치고는 제법 아는 게 많은걸?"

거기다 샤벨 훅이라는 것까지 태연하게 말하는 재중이다.

그런 재중의 모습에서 격투기를 배우며 익힌 감각이 발동했다고 해야 할까.

아무튼 뭔가 묘한 느낌이 데이빗의 몸을 감싸기 시작했다.

"복싱을 전문으로 한 건 아닌데… 주짓수겠군."

멈칫!

주짓수는 특별히 정해진 자세나 파이팅 포즈가 있지 않았다.

UFC라는 격투기가 유행하기에 의외로 주짓수라는 무술의 이름을 아는 사람은 많은 편이다.

실제 주짓수는 일본의 유도와 가라데, 그리고 세계의 여러 가지 격투기의 장점만 모아서 만든 무술로, 흔히 무술이 퍼지는 가장 흔한 방식으로 퍼져 나갔다.

1914년 브라질로 이민 온 일본의 유도 챔피언인 '에사이마에다' 라는 유도가가 일본인 이민자들의 정착을 위해서 일하다가 '가스타오 그레이시' 가문을 만나 많은 도움을 받았다.

가스타오 그레이시 가문에 너무나 많은 도움을 받은 마에다는 그 보답으로 그레이시가의 장남인 카를로스에게 자신이 알고 있는 유술의 고유 비전을 가르쳐 주었다.

그리고 그 가르침을 받은 카를로스가 네 명의 자신의 형제에게 다시 유술을 가르쳤는데 워낙에 열정이 넘치다 보니 실력과 기술이 늘어나면서 많은 발전을 이룩한 것이 바로 주짓수였다.

하지만 정말 주짓수가 꽃을 피우게 된 계기는 바로 그레이시 가문의 형제 중 한 명인 엘리오 그레이시를 통해서였다.

몸무게 61kg에 왜소했던 엘리오 그레이시는 자신의 왜소한 체구와 약한 힘을 보완하기 위해서 지렛대의 원리를 무술에 적용하기 시작했다.

그리고 그것을 익혀서 자신의 두 배가 넘는 체격을 가진 사람조차도 이기는 것이 가능하게 되었다.

결국 엘리오 그레이시는 그 기술을 갈고닦아 세계의 파이터들을 무릎 꿇리는 전설을 만든 것이다.

한마디로 바람의 파이터로 잘 알려진 최배달과 비슷했다.

한 가지 최배달과 다른 점이라면 엘리오 그레이시는 현재까지도 정정해서 살아서 주짓수를 가르치고 있다는 것이다.

그리고 엘리오 그레이시는 자신의 아들 힉슨 그레이시에게 자신의 모든 것을 넘겨주었는데, 아들도 보통 천재가 아니었는지 주짓수를 스포츠 쪽으로 발전시키면서 지금처럼 대중화가 될 수가 있었다.

참고로 힉슨 그레이시는 지난 20년간 챔피언이었으며 450전 무패의 기록을 가지고 있는 주짓수의 결정체였다.

그런데 데이빗이 재중의 말에 놀란 것은 따로 이유가 있었다.

바로 데이빗이 배운 주짓수가 스포츠 형태로 발전된 것이 아닌, 그레이시 가문에 전해지는 주짓수 원형이었기 때문이다.

스포츠로 발전한 주짓수와 달리 그레이시 가문 안에서만 전해지는 주짓수의 원형은 그 기술 자체가 너무나 파괴적이었다.

아주 작은 힘으로도 한 사람을 불구로 만드는 것이 쉬울 만큼 무서운 기술이기에 외부로 유출되는 것을 극도로 꺼려 주짓수의 원형을 아는 외부인은 거의 없었다.

하지만 데이빗은 랜필드 가문의 힘을 이용해서 무려 10년이 넘도록 원형 주짓수를 연마했다.

사실상 UFC에 나가지 않았을 뿐이지 걸어 다니는 살인 병기나 마찬가지였다.

"크크큭, 내가 주짓수를 배웠다는 것을 알다니… 원숭이, 보통이 아니야. 응?"

자신의 모든 것을 알고 있다는 듯한 재중의 표정과 말에 결국 데비잇의 눈빛이 바뀌어 버렸다.

데이빗은 천천히 손가락을 풀었다.

점차 데이빗의 어깨부터 시작해 온몸의 근육이 춤을 추듯 꿈틀대기 시작했다.

"저 근육 좀 봐."

"저게 가능해?"

예기치 않게 재중과 데이빗의 대결이 펼쳐지게 된 파티장이다.

파티장에 펼쳐진 데이빗 랜필드의 때 아닌 근육 쇼에 주변이 술렁거렸다.

잘 다듬어진 근육은 정말 아름다웠다.

마치 자신이 살아 있다는 것을 증명이라도 하듯 데이빗의 근육 하나하나가 꿈틀댔다.

보는 사람들이 마치 춤을 춘다고 느끼고 있을 정도였으니 말이다.

"크크큭, 영광으로 알아야 할 거야, 원숭이. 내가 정말 진심으로 상대하는 경우는 거의 없으니까."

"진심? 후후훗."

재중은 진심이라는 그 말에 작게 조소를 그렸다.

재중의 반응에도 아랑곳하지 않은 데이빗은 목을 한 번 천천히 돌리면서 화려한 근육 쇼를 끝냈다.

즉 그동안 잠들어 있던 몸 안의 근육 세포 하나하나를 모조리 깨웠다는 뜻이다.

그리고 완전히 깨어난 근육과 함께 데이빗의 눈동자와 분위기가 삽시간에 바뀌었다.

지금까지 재중이 데이빗에게서 느낀 것이 적의였다면 지금은 살의였다.

그것도 사람을 죽여본 경험이 많은 살인자의 살기 말이다.

"원숭아, 너무 건방졌어. 마지막으로 할 말은?"

자신이 진심인 이상 재중은 이미 죽은 목숨이라는 것을 단정 지은 듯했다.

재중에게 유언을 묻는 데이빗의 모습에 재중은 잠시 생각

하더니,

"여기서 뛰어내리면 아무리 너라도 죽겠지?"

라고 하면서 그를 향해 뜬금없는 말을 한다.

"크하하하하하!! 아주 재미있어, 원숭이! 크크큭, 나라도 죽 겠지. 하지만 그전에 네놈이 먼저 떨어질걸? 이렇게 말이야."

덥석!

마치 자신이 직접 그 말처럼 집어 던져 주겠다는 듯 재중의 멱살을 잡은 데이빗이다.

그런데 오히려 이 순간 재중은 웃었다.

그리고 재중은 아주 작게 데이빗에게만 들리도록 중얼거 렸다.

"네 발로 뛰어들면 더 재미있을 텐데 말이야. 안 그래?"

"크크크, 그래? 그럼 어디 그렇게 해봐!"

데이빗은 끝까지 웃으면서 건방지게 말하는 재중의 모습 에 짜증을 느꼈다.

데이빗은 멱살을 잡은 그대로 재중을 자신의 품으로 잡아 당기면서 다른 손으로는 재중의 얼굴을 향해 주먹을 내질렀 다.

탁!

잡아당기면서 내지르는 주먹에 맞는 것이 얼마나 위험한 지 옆에서 보는 사람들은 모를 것이다.

당기는 힘에 주먹의 찌르는 힘이 겹쳐지는 순간, 사람의 목뼈를 부러뜨리는 정도는 데이빗에게 아무것도 아닌 일이었다.

그리고 데이빗이 이 기술을 자주 사용하는 이유도 바로 이 때문이었다.

옆에서 보는 사람은 그저 둘이 싸우려고 다가서다가 데이빗의 주먹에 맞았는데 죽어버리는 것만 보일 테니 말이다.

"죽어!"

지금까지 이렇게 죽인 녀석만 벌써 열 명이 넘는 데이빗이다.

데이빗은 재중도 지금까지의 다른 녀석들과 똑같이 상쾌한 소리와 함께 죽어버릴 것을 전혀 의심하지 않는 표정이었다.

그런데 데이빗의 주먹이 재중의 얼굴에 닿으려는 순간,

탁!

재중의 손이 데이빗의 주먹을 쳐내 버리는 게 아닌가?

거기다 오히려 재중 쪽에서 데이빗의 품으로 달려들고 있었다.

"엇!"

손목에 뭔가 충격이 왔다는 것을 느끼는 순간, 데이빗의 시선에 비추는 세상이 갑자기 옆으로 꺾여 버렸다.

'뭐지? 왜 배가 옆으로 서 있는 거야?'

처음에는 순간 자신이 잘못 본 것이라고 생각했다.

하지만 그뿐만이 아니라 눈동자가 바라보는 모든 것이 옆으로 기울어져 버린 것을 확인한 그는 뭔가 이상하다는 생각이 들었다.

데이빗은 이상한 기분에 앞으로 손을 뻗으려고 했는데 팔이 움직이질 않았다.

씨익~

그리고 유독 선명하게 보이는 재중의 미소가 데이빗의 눈동자를 가득 채웠다.

"그럼 슬슬 쇼를 시작해 볼까?"

재중은 자신의 얼굴을 향해 날아오는 데이빗의 주먹을 쳐내는 것과 동시에 안으로 파고들었다.

그러면서 갈비뼈를 부러뜨렸고, 뒤이어 목 뒤로 손가락을 뻗어 목뼈를 잡아서 으스러뜨려 버렸다.

사람이 목을 매달면 몸무게만으로도 쉽게 부러지는 목뼈다.

당연히 재중의 무지막지한 힘을 견딜 리 없으니 부러져 버렸다.

거기다 재중은 골반뼈까지 부러뜨렸다.

상황이 이렇게 되자 부러진 목뼈 때문에 머리가 옆으로 기울어진 데이빗에게 세상이 정상으로 보이지 않는 것은 당연했다.

거기다 재중은 목뼈를 부러뜨리면서 신경까지 끊어버렸다.

그래서 지금 데이빗이 고통조차 느끼지 못하고 있는 것이다.

갈비뼈가 부러져 폐를 찔러 빠르게 죽어가고 있는데도 전혀 고통을 느끼지 못한다.

자신이 죽어간다는 것조차 이해하지 못하고 데이빗은 그렇게 죽어버렸다.

그렇게 많은 사람이 보는 앞에서 랜필드 가문의 데이빗 랜필드를 죽여 버린 일대의 대사건을 저지른 재중이다.

그런데 재중이 갑자기 스스로 뒤로 튕겨져 나가더니 마치 데이빗의 주먹을 맞고 쓰러진 것처럼 바닥을 뒹굴기 시작했다.

"재중 씨!!"

"재중 씨!!"

갑작스런 재중의 모습에 재중이 이길 것이라고 절대적으로 믿고 있던 천서영마저 놀란 나머지 황급히 재중의 곁으로 뛰어갔다.

그리고 기다렸다는 듯 순간 갑자기 쓰러져 있던 데이빗이 벌떡 일어서더니 큰 소리로 웃는 게 아닌가?

"쿠하하하하하하! 이제 세상은 내 거다!!"

데이빗은 뜬금없이 미친 소리와 함께 듣는 이에게 소름이 돋는 웃음소리를 크게 내지른 뒤 느닷없이 뛰기 시작했다.

"뭐야?"

"저리로 가면… 위험한데!!"

"안 돼!! 거긴 발코니 끝이라 바로 바다란 말이야!!"

커다란 덩치의 데이빗이 사람들의 만류에도 미친 듯이 뛰어가더니 결국,

쾅!

그저 인테리어용으로 만들어놓은 나무 울타리는 그냥 몸으로 부숴 버리고, 뒤에 있는 철제 안전 울타리는 마치 한 마리의 새가 날 듯 뛰어올라 넘더니 그대로 밤바다로 사라져 버렸다.

"…꺄악!!"

"이런 미친놈!!"

"어서 배를 세워!!"

사람이 자기 발로 크루즈 꼭대기에서 바다를 향해 뛰어내리는 장면을 고스란히 지켜본 사람들은 비명을 지르고 기절하는 여자까지 아주 난리가 났다.

갑작스런 데이빗 랜필드의 자살로 난리가 난 것은 선박 측

도 마찬가지였다.

승무원들은 뛰어내린 데이빗을 찾기 위해 배를 세우고 모터보트를 모두 꺼내 무려 네 시간이 넘도록 수색 작업을 했다.

하지만 데이빗은 흔적조차 찾을 수가 없었다.

전문 수색 장비는커녕 잠수복조차 없는 크루즈였다.

무려 건물 20층 높이에 해당하는 크루즈의 가장 높은 곳에서 자기 발로 뛰어내렸으니 사실상 살아 있을 가망성은 거의 없다고 봐야 했다.

하지만 그 뛰어내린 미친놈이 랜필드 가문의 데이빗 랜필드라는 게 문제였다.

크루즈의 승무원들은 최선을 다해 수색했지만 결국 포기하고 가까운 해양경찰을 부를 수밖에 없었다.

거기다 재수가 없는 건지 데이빗이 뛰어내린 이 해역은 유속이 무척 빨랐다.

한 시간 만에 수십 킬로미터까지 떠내려 가버리는 곳이라 시체조차도 찾는 것이 거의 불가능했다.

어쩔 수 없이 크루즈는 무려 3일 동안 가까운 항구에 정박해야 했다.

그 당시 파티에 있던 모든 사람과 면담을 하고 증거 자료, 녹화 화면까지 모조리 수거해서 살펴봤지만 결과는 자살이었다.

더욱이 파티장에 있던 모든 사람이 재중이 데이빗에게 맞아서 나가떨어지는 장면을 봤었다.

거기다 데이빗이 갑자기 광소를 터뜨리면서 미친 소리를 하더니 자기 발로 전력질주해서 뛰어내렸다는 것을 똑같이 증언하고 있기도 했다.

그러니 재중에게 책임을 물을 수도 없었다.

CCTV는 물론이고 데이빗과 재중이 서로 마주 선 상태에서부터 동영상을 찍은 파일까지 수거해서 찾아봤지만 오히려 재중이 피해자였다.

누가 봐도 데이빗이 캐롤라인에게 치근덕대는 것이 화면에 모두 담겨져 있으니 말이다.

거기다 데이빗이 재중의 멱살을 먼저 잡고 때리는 행동까지 한 마당이다.

막상 재중이 데이빗을 어떻게 했다고 해도 정당방위 가능성이 높았다.

결국 크루즈는 3일 뒤 다시 항구를 떠나 항해를 시작할 수가 있었다.

그런데 사람들은 알고 있을까?

데이빗이 전력질주로 파티장을 가로질러 뛰어내리기 전에 이미 죽어 있었다는 것을 말이다.

Chapter 15
론도 랜필드

재중귀환록

―목소리 좋았죠?

　"후후훗, 뭐 나쁘진 않았다. 그런데 그건 무슨 말이야?"

　―네?

　"이제 세상은 내 거라니? 네크로맨시 마법으로 조종했으니 테라 네 장난일 게 뻔하잖아."

　재중은 데이빗이 죽는 순간 곧바로 미리 준비를 마친 테라를 불렀다.

　테라는 재중의 그림자에서 그 누구도 모르게 데이빗의 그림자로 옮겨갔다.

그리고 그때부터 이미 죽은 데이빗의 몸을 조종한 것은 바로 테라였던 것이다.

당연히 재중을 후려쳐서 날려 버리는 시늉을 한 것도 바로 테라였고 말이다.

이미 재중은 데이빗이 캐롤라인에게 치근덕거리는 동안 가만히 지켜보면서 계획을 세우고 있었다.

캐롤라인에게 노골적으로 색욕 가득한 오라를 뿜어내는 녀석이 쉽게 포기할 리가 없는 것은 너무도 당연했다.

그렇기에 재중은 자신과의 충돌은 이미 기정사실로 생각하고 아예 미리 준비하고 있었던 것이다.

그리고 데이빗에게 걸어가면서 그를 죽인 다음 사람들을 감쪽같이 속일 방법까지 모두 계산을 끝내고 움직인 것이다.

설마 사람들이 죽은 사람이 큰 소리로 웃고 미친 듯이 뛴다는 것을 알 수는 없을 테니 말이다.

또한 그건 테라가 직접 데이빗 랜필드의 그림자에 숨어서 최대한 자연스럽게 조종했기에 가능한 일이었다.

한마디로 한 편의 서스펜스 영화보다 더한 반전이 있다는 것을 세상 사람들만 전혀 모르고 있었다.

*   *   *

쾅!!

"뭐? 데이빗이 죽어?"

"네, 가주."

평소와 같이 업무를 마치고 집으로 돌아와 식사하려던 필립 랜필드였다.

그는 갑작스럽게 날아온 소식에 너무 놀라 화가 솟구쳐 있었다.

"어떤 놈이 죽였나?! 내 그놈의 가죽을 벗겨서 씹어 먹을 것이야!!"

당연히 데이빗의 성격상 누군가에게 죽임을 당했을 것이라고 단정 지은 필립이다.

그가 벌떡 일어서면서 소리치자 집사가 말렸다.

"가주, 우선 이것을 보고 판단하십시오."

"뭐지, 이건?"

필립은 집사가 내민 작은 테블릿 pc를 내려다보았다.

동영상 하나가 재생 준비를 마친 상태이다.

순간 필립의 예리한 직감이 뭔가 이상하다는 것을 느꼈다.

필립이 화를 가라앉히고 자리에 앉자, 집사가 다시 입을 열었다.

"이걸 보고 판단하셨으면 합니다, 가주."

집사가 동영상 재생을 터치하자 뭔가 어지러운 영상이 지나가더니 그 영상 속에 데이빗의 모습이 보인다.

"이건 데이빗?"

영상에 데이빗이 나오자 필립은 왠지 불안한 직감이 왠지 맞아들어 간다는 느낌이 더욱 강해졌다.

필립은 조용히 영상을 보기 시작했다.

거의 30분이 넘는 영상이 끝나자 조용히 의자의 등받이에 몸을 깊숙이 기대는 필립이다.

그는 아무 말 없이 몇 분 동안 눈을 감고 생각에 잠긴 듯하더니 집사를 향해 물었다.

"영상 조작 흔적은?"

"전혀 없습니다, 가주."

"증인이나 증거의 훼손, 조작 가능성은?"

"저희 가문에서 직접 가서 확인했지만 조작되었을 가능성은 0%입니다, 가주."

"……."

집사의 말을 들은 필립은 감고 있던 눈을 천천히 떴다.

그리고는 몸을 앞으로 기울여 테블릿의 정지 화면을 물끄러미 쳐다보았다.

"여기 영상에 데이빗과 함께 있는 동양인은 누구지?"

"이름은 선우재중, 국적은 한국, 직업은 한국 땅에서 작은 카페를 하고 있습니다. 그리고 현재 시우바 그룹의 초대로 브

라질에 있다가 캘리호를 타고 크루즈 여행 중인 것으로 확인
됐습니다."

"시우바 그룹이라……. 녀석들이 꾸몄을 가능성은?"

"현재 시우바 그룹은 내분으로 인해 데이빗 도런님을 시해
할 이유도 가능성도 전혀 없는 것으로 가문에서는 결론 내렸
습니다, 가주."

집사의 말을 들은 필립은 아주 0.1%의 가능성이라도 모두
확인하려는 듯 질문을 시작했다.

집사는 그가 이런 질문을 할 줄 알았다는 듯 막힘없이 대답
했다.

"집사."

"네, 가주."

"지금 이 영상을 최대한 느리게 재생해 봐. 한 장 한 장 사
진으로 만들더라도 모두 파헤쳐 봐."

뭔가 이상한 직감이 들었다.

필립은 영상이 계속 신경에 거슬리는 듯 쳐다보다가 결국
영상을 완전히 해부해서라도 뭔가를 알아내라고 명령을 내렸
다.

"알겠습니다, 가주."

"그리고 론도는?"

자식이라고는 달랑 형제 둘인데 그중에 하나가 죽어버렸다.

필립이 론도를 찾는 것은 어쩌면 당연했다.

"현재 론도 도련님은 유럽에 계십니다, 가주."

"불러들여."

필립이 유럽에 있는 론도를 불러들이라고 하자 집사가 지금까지와는 달리 처음으로 되물었다.

"지금 말입니까, 가주?"

"그래. 당장 불러들여. 그 녀석이라면 뭔가 찾아내겠지. 데이빗의 죽음에 관해서 말이야."

"알겠습니다, 가주."

론도를 불러들이는 이유가 데이빗의 죽음에 대해서라고 하자 다른 말 없이 대답한 집사이다.

랜필드 가문의 망나니라고 소문이 퍼지긴 했지만 필립에게는 귀한 자식이었다.

첫째와 달리 어릴 때 어미를 여의고 혼자 크다 보니 좀 비뚤어지긴 했지만 자식은 자식이었다.

그런데 그런 자식 하나가 죽었다는 것을 그대로 받아들일 부모가 어디 있겠는가?

당연히 부모라면 모든 것을 의심하고 찾아내려 할 것이다.

다만 그가 다른 부모와 다른 점이라면 랜필드라는 엄청난 힘과 권력, 그리고 재력과 기술력까지 가지고 있는 부모라는 것이다.

＊　　　＊　　　＊

―론도 도련님, 접니다.

"응? 무슨 일이에요, 집사가?"

정말 무슨 일이 터지지 않는 이상 집사가 자신에게 전화를 걸 일이 없다는 것을 알고 있는 론도 랜필드다.

전화의 주인공이 집사라는 것을 안 순간 그의 표정이 차분하게 가라앉았다.

―데이빗 도련님이 죽었습니다.

"누구 짓입니까?"

론도 랜필드도 데이빗이 죽었다는 말에 성격상 누군가와 싸우다가 원수를 지거나 아니면 살해당했을 것이라고 판단한 듯 했다.

질문이 필립과 똑같았다.

하지만,

―자살하셨습니다.

"…지금 뭐라고 했죠?"

순간 론도는 자신이 잘못 들은 게 아닌가 싶어 다시 집사에게 물었다.

―가주께서 론도 도련님이 직접 오셔서 데이빗 도련님의

죽음의 비밀을 알아내라고 명령하셨습니다.

"…아버님이……. 알았어요. 당장 가죠."

론도는 전화를 끊고는 곧바로 간단한 옷 몇 가지만 챙겨 공항으로 향했다.

다른 것은 몰라도 아버지인 필립이 무언가 있다고 느꼈다면 그건 무조건 살펴봐야 한다.

론도는 그것을 너무나 잘 알고 있었다.

랜필드 가문이 오랫동안 역사를 유지하면서 이처럼 굳건하게 버텨온 것은 특별한 이유가 있었다.

바로 랜필드 가문의 남자들에게 전해지는 이 독특한 감각 때문이었다.

정말 별것 아닌 위험이라도 그것이 본능적으로 이상하다고 느껴진다면 조심해야만 했다.

아주 작은 실수 하나가 수백 년의 가문도 무너뜨리는 것이 바로 세상이었으니 말이다.

『재중 귀환록』 7권에 계속…

FANATICISM
HUNTER

광신사냥꾼

류승현 판타지 장편 소설

FANTASY FRONTIER SPIRIT

「블레이드 마스터」의 류승현 작가가 펼쳐내는
판타지의 새로운 신화!

마도대전을 승리로 이끈 유리언 대륙의 영웅,
최강의 아크 메이지 제온!

그러나 '세상의 섭리'에 아내와 아이를 빼앗기는데……

『광신사냥꾼』

만약 그것이 정말로 세상의 섭리라면,
그마저도 무너뜨리고 말리라!

복수를 위한 제온의 위대한 여정이 시작된다!

Book Publishing CHUNGEORAM

유행이 아닌 자유추구-
WWW.chungeoram.com

HERO2300

FUSION FANTASTIC STORY

영웅2300

말리브 장편 소설

「도시의 주인」 말리브 작가의
특급 영웅이 온다!
『영웅2300』

돈 없는 찌질한 인생 이오열,
잠재 능력 테스트에서 높은 레벨을 받았지만

"젠장, 망했어! 되는 일이 하나도 없어!"

하필이면 최악의 망캐 연금술사가 될 줄이야!

그러나 포기란 없다.
최악에서 최고가 되기 위한
오열의 이야기가 시작된다!

Book Publishing CHUNGEORAM

말년병장 이등병되다!

에바트리체 장편 소설

FUSION FANTASTIC STORY

대한민국 남자라면 알고 있을 바로 그 이야기!

『말년병장, 이등병 되다!』

전역을 코앞에 둔 말년병장, 이도훈.
꼬장의 신이라 불리던 그가 갑자기 훈련병이 되었다?!

"…이런 X같은 곳이 다 있나!"

전우애 넘치는 군인들의
좌충우돌 리얼 군대 이야기!

Book Publishing CHUNGEORAM

 유행이 아닌 자유추구 -
WWW.chungeoram.com

LORD

FANTASY FRONTIER SPIRIT

RAY SHADE

영주 레이샤드

한승현 판타지 장편소설

저주받은 영지 아베론의 영주 레이샤드.
열다섯 번째 생일날,
정체불명의 열쇠가 그의 운명을 바꾸었다!

『영주 레이샤드』

시험의 궁을 여는 자, 원하는 것을 얻으리니!
시련을 극복하고 새로운 땅의 주인이 되어라!

레이샤드의 일대기가 시작된다!

Book Publishing CHUNGEORAM

유행이 아닌 자유추구 -
WWW. chungeoram.com

FANATICISM HUNTER

광신사냥꾼

류승현 판타지 장편 소설

FANTASY FRONTIER SPIRIT

「블레이드 마스터」의 류승현 작가가 펼쳐내는
판타지의 새로운 신화!

마도대전을 승리로 이끈 유리언 대륙의 영웅,
최강의 아크 메이지 제온!

그러나 '세상의 섭리'에 아내와 아이를 빼앗기는데⋯⋯.

『광신사냥꾼』

만약 그것이 정말로 세상의 섭리라면,
그마저도 무너뜨리고 말리라!

복수를 위한 제온의 위대한 여정이 시작된다!

Book Publishing CHUNGEORAM

유행이 아닌 자유추구 -
WWW.chungeoram.com